TESOROS DEL KREMLIN

Exposición

de los Museos Estatales del Kremlin de Moscú
del Ministerio de Cultura de la U.R.S.S.

en colaboración con

el Ministerio de Cultura de España
las Municipalidades de Madrid y Barcelona
la empresa Corte Inglés, S.A., España
la Fundación Copasa, Buenos Aires, Argentina

Museos Estatales del Kremlin de Moscú

TESOROS DEL KREMLIN

Ceremonial de gala en la Rusia del siglo XVII

DESFILE DE GALA Y CAZA REAL

Hirmer Verlag Munich

Fotografías:
E. Gerasimov, R. Biaminson, L. Karra

Autores de la Introducción y del Catálogo:
L. P. Kirilova, T. V. Martynova, E. V. Tijomirova

Redactor responsable:
N. S. Vladimirskaya

Adaptación de la versión epañola:
José-A. Godoy, en colaboración con Ulrike Deiser

Indice

Agradecimiento

La Fundación Copasa, Operadora de Museos, presenta en España una colección de tesoros pertenecientes a los Museos del Kremlin de Moscú.

Se trata de una muestra seleccionada especialmente por los Museos del Kremlin de Moscú para ser exhibida por primera vez fuera de las murallas del Kremlin, en el marco de los intercambios culturales entre España y la U.R.S.S.

Para que un proyecto de esta importancia se hiciera realidad fue necesaria la colaboración de distintas personas e instituciones, sin cuyo esfuerzo no hubiera sido posible. Por tal motivo es que la Fundación Copasa desea formular diversos agradecimientos:

En primer término al Ministerio de Cultura de la U.R.S.S. y a la Sra. Dª. Irina Alexandrovna Rodimtseva, Directora de los Museos del Kremlin de Moscú.

A las conservadoras de dicho Museo, Sras. Nonna Vladimirskaya, Tatiana Martynova y Elena Tijomirova y al conservador Sr. Vladimir Gretski.

A la Embajada de la Unión Soviética en España y al Ministerio de Cultura de España.

Al Corte Inglés S.A., empresa española que brindó desde el primer momento todo su apoyo para que este proyecto cultural pudiera ser concretado en sus instalaciones.

Así también, a Euro GyC S.A., que tuvo a su cargo la coordinación de la muestra en España.

Muchas otras personas han intervenido y puesto toda su capacidad para concretar esta exposición; a todas ellas, la Fundación Copasa desea expresarles su reconocimiento.

DR. ERNESTO TEXO
Presidente de la Fundación Copasa

Prólogo

La Armería de Moscú está considerada justamente como uno de los museos más famosos del mundo. Es el depósito de antigüedades y tesoros más antiguo de la Union Soviética, y goza de fama mundial. La Armería se encuentra en el recinto del Kremlin de Moscú, cerca de la puerta de Borovitskaya, ocupando un edificio especialmente construido para este objetivo en el año 1851, según el proyecto del famoso arquitecto K. A. Ton. La Armería del Kremlin forma parte de un conjunto de museos conocidos como «Los Museos Estatales del Kremlin de Moscú».

La Armería contiene una colección de obras maestras de importancia nacional e internacional, reuniendo rarísimas obras de arte, que van desde el siglo IV hasta comienzos del siglo XX. Dicha colección sorprende por la diversidad de las piezas exhibidas y la cantidad de escuelas artísticas representadas. El lugar más importante lo ocupan obras sumamente originales, creadas por toda una pléyade de artistas rusos, que constituyen una perfecta simbiosis entre la creación artistica y la perfección técnica, que ha inspirado hasta el día de hoy varias generaciones de artífices.

La Armería nos cuenta en lenguaje artístico la historia de Rusia, de la lucha del principado de Moscú por la unión de las tierras rusa en un estado centralizado único y sobre su desarrollo económico, político y cultural. Describe cómo surgió Rusia dentro del contexto internacional, convirtiéndose en una gran potencia estrechamente ligada con los países de Europa y Asia.

Muchas de las obras de la Armería son de carácter eonmemorativo, lo que multiplica su valor. Están vinculadas con los políticos y estadistas más célebres de nuestro país y con los acontecimientos históricos de mayor relieve. La mayor parte de las obras maestras expuestas han sido objeto de historias fabulosas y de leyendas poéticas.

La génesis de la colección de los tesoros artísticos de la Armería no tiene comparación posible con otras análogas. El proceso de su formación se inició los siglos XIV–XV, y está estrechamente unido al Kremlin, centro de Moscú, desde los tiempos más remotos.

La historia de la Armería es el fruto de la vida cultural y política del Estado Ruso. Por eso, la historia de la Armería es más antigua que su nombre, lo que está confirmado por la colección de obras de orfebrería de los siglos XII–XV de singular valor artístico-histórico.

A lo largo de varios siglos la Armería del Kremlin sirvió para guardar los tesoros de los grandes príncipes moscovitas y, posteriormente, de los zares y patriarcas. Continuamente se completó con nueras obras creadas en los talleres artísticos del Kremlin de Moscú o traídos del extranjero.

Desde tiempos remotos los maestros más hábiles trabajaron en los talleres de las cortes de los grandes príncipes, como luego lo hicieron en las cortes de los zares y los patriarcas.

En los siglos XVI y XVII, Moscú se convierte en el centro artístico de toda Rusia y como consecuencia los talleres del Kremlin alcanzan sus mayores éxitos, al concentrarse en el Kremlin toda la vida cultural del Estado Ruso.

Los estudiosos de la historia de dichos talleres subrayan que en aquella época éstos constituían una especie de Academia Rusa de Bellas Artes. En ella trabajaban los maestros más cualificados de distintas especialidades, invitados de distintas ciudades de Rusia, tales como, Novgorod, Vladimir y Yaroslavi, Suzdal y otros famosos centros de la artesanía nacional, lo que permitía un enriquecimiento artístico recíproco.

Al lado de los maestros rusos trabajaban especialistas extranjeros, muchos de los cuales encontraron su segunda patria en Rusia. Así, uno de los rasgos más característicos de la cultura artística de Moscú era que sintetizaba lo más selecto del arte de la época.

Las obras de los artífices del Kremlin se destacaban por la diversidad de las técnicas y decoraciones, por su gran imaginación artística, por el gusto irreprochable en la realización, por una riqueza incomparable en los materiales y por todo un esplendor de colores. Dichas obras servían de modelo, las estudiaban e imitaban. Maestros y aprendices podían admirar sus obras formando parte de adornos de procesiones y otras ceremonias solemnes, así como también de las decoraciones de los templos y palacios.

La corte del zar recibía numerosos y hermosísimos objetos fabricados en el extranjero. En los siglos XVI–XVII, aspirando a fortalecer las relaciones políticas y comerciales con la lejana Rusia, acudían constantemente al Kremlin los mensajeros de gobernadores europeos y orientales. Traían múltiples regalos, tales como armas lujosas y arneses preciosos, tejidos ornamentados de mucho valor, artículos hechos de metales preciosos y materiales raros y extravagantes. Sin embargo, la riqueza y orgullo mayor de los gobernantes moscovitas eran siempre las maravillosas obras hechas en los talleres del Kremlin.

En La Armería se fabricaban las armas de combate y de gala. Las Cámaras de Oro y de Plata suministraban a las cortes del zar y de los patriarcas los objetos en metales preciosos, las condecoraciones estatales y símbolos del Estado Ruso que se utilizaban durante las coronaciones de los zares y las recepciones solemnes de los embajadores extranjeros.

La "Cámara de Ropa de Cama", transformada más tarde en dos talleres, uno para el zar y otro para la zarina, se ocupaba de la fabricación y conservación de los vestidos de los miembros de la familia del zar. Hobiles bordadoras ornamentaban los tejidos y otros objetas con hilos de metales preciosos– de oro y plata – y de sedas multicolores con perlas y piedras preciosas.

Según la moda de lá época en los talleres de la Caballeriza se fabricaban elementos diversos. Arneses sorprendentes, por su belleza y riqueza, así como, diferentes carrozas destinadas a diversos usos.

Durante el reinado de Pedro el Grande, en el año 1711, la capital de Rusia fue trasladada a San Petersburgo y, aunque Moscú seguía siendo el lugar donde se coronaban los zares y el más importante centro económico y cultural de la Rusia antigua. Sin embargo, una parte de los artesanos emigró a la nueva capital norteña, lo que redujo la actividad productiva de los talleres del Kremlin. Pero la acumulación de las obras de arte no se interrumpió, y enormes tesoros históricos continuaron concentrándose en los depósitos, que luego fueron llamados "La Cámara del Taller y de la Armería".

Al principio del siglo XIX se tomaron ciertas medidas para transformar este depósito en un museo, que recibió el nombre de "Gran Taller", mencionado por primera vez en las crónicas de comienzos del siglo XVI. En el 1807 se imprimió el primer estudio sobre la historia de la Amería titulado la "Descripción Histórica de La Armería".

En el transcurso del siglo XIX creció la atención prestada a la Armería. Su colección se enriqueció con obras sin par de renombre internacional, como por ejemplo y las hombreras de oro que pertenecieron a grandes príncipes de antaño, encontradas en el tesoro del pueblo del Antiguo Riazan y que datan de los siglos XII–XIII.

Posteriormente, comenzaron a estudiarse otros hallazgos arqueológicos de muchísimo valor histórico y artístico y obras provenientes de colecciones privadas. El Museo, poco a poco, se convirtió en uno de los centros científicos más importantes de Rusia. En el transcurso del siglo XIX la Armería tuvo un importante papel en el desarrollo de la historiografía del arte.

Las colecciones del Museo se completaron considerablemente después de la Gran Revolución de Octubre. Entre los primeros Decretos firmados por V. I. Lenin figuran los de la "Conservación de los Tesoros Artísticos del Pueblo", que declaraba la necesidad de convertir los museos y la Armería en propiedad estatal.

Las colecciones de los Museos del Kremlin siguen completándose en la actualidad, gracias a nuevos regalos, donaciones y otros ingresos provenientes de las instituciones estatales y personas particulares. Las piezas más significativas pro del recientemente creado Fondo de Cultura de la Unión Soviética. Los Museos del Kremlin están cordialmente agradecidos a los ciudadanos soviéticos y extranjeros por su desinteresado acto de confianza al donar a la Armería insignes obras de arte.

De acuerdo con el programa de colaboración entre los Ministerios de Cultura de nuestros respectivos países, los Museos del Kremlin de Moscú exponen en España una colección de obras maestras del arte aplicado, consistente en armas y arneses de gala de maestros rusos, europeos y orientales. Esta colección por su riqueza e importancia artística no tiene igual en la Unión Soviética.

Los visitantes de la exposición tendrán la posibilidad de contemplar y valorar el arte, incomparable por sus rasgos nacionales, de los especialistas en grabados, esmaltes, dorados, nielados, bordados y talla de hueso, cuyas creaciones se han incorporado a la historia del arte mundial. Uno de los aspectos principales de la exposición es su carácter internacional, que se encauza dentro de las tendencias contemporáneas de la polítca mundial.

Al mismo tiempo es una exposición monotemática, que describe la historia del arte aplicado ruso. Por primera vez, la Armería del Kremlin de Moscú se presenta en España en su calidad de Tesoro nacional.

La exposición sigue los acontecimientos lejanos de la historia rusa, el período de florecimiento del arte nacional antiguo ruso y las relaciones diplomáticas del Estado Ruso con los países de Oriente y Occidente. Nos presenta la vida cotidiana de la corte del zar, la moda y las costumbres de la Rusia del siglo XVII. Los visitantes conocerán los ritos ceremoniales típicos rusos, la decoración de las ceremonias oficiales, las inspecciones de las tropas, la caza y otros acontecimientos del siglo XVII.

Es bien sabido que la colección de carrozas de los siglos XVI–XVII es una de las más importantes del mundo.

El siglo XVII es la época de "los grandes cambios" en la historia rusa y del nacimiento del arte de la nueva era, que influyó en numerosos aspectos de la sociedad rusa y que preparó las reformas de Pedro I. Sus páginas heroicas cantan el himno a la firmeza, el amor a la libertad y el coraje del pueblo ruso. Las invasiones, muchas veces destructoras, fueron una constante amenaza al patrimonio de nuestros antepasados. Pero las murallas del antiguo Kremlin conservaron y protegieron los testimonios de nuestra historia, recuerdos de la Antigüedad, palacios y templos, asi como sus valiosas los tesoros del zar y trofeos militares.

El carácter del pueblo ruso le ha permitido tradicionalmente conocer y respetar los valores humanos y las muestras del ingenio de otros pueblos y países, penetrando en las profundidades de su valor y sentido. Tal actitud permitió conservar para las generaciones posteriores, al lado de las armas rusas, los ejemplares producidos en los talleres más famosos de Turquía, Irán, Alemania, Francia, Inglaterra y Holanda.

Estas menciones célebres no estarían completas si no recogieran a la Fábrica de Armas de Toledo, representada en la exposición por una obra maestra de la producción de armas: la espada española regalada al zar Pedro I.

Confiamos que ante los ojos de los visitantes de esta exposición aparezca de forma atractiva y comprensible para todos los pueblos del mundo la imagen del Hombre y Caballo, este hermosísimo corcel – como – el de los cuentos de hadas rusos que simboliza el veloz curso del tiempo y que representa en nuestro efímero tiempo un símbolo propicio del año 1990.

En los comentarios del catálogo se especifican los atributos de los objetos, utilizando nuevos materiales científicos y se citan nombres de maestros rusos y extranjeros anteriormente desconocidos, que han sido descubiertos en los últimos años araíz de minuciosas investigaciones científicas. Muchas de las obbras adquirieron nueva vida gracias a los esfuerzos de los restauradores soviéticos.

Irina Alexandrovna Rodimtseva

Directora de los Museos del Kremlin de Moscú

Introducción

La colección de arneses de gala de los siglos XVI—XVII constituye un complejo histórico—cultural de sumo interés. Dicha colección consta de más de tres mil objetos y por su magnitud, valor artístico y variedad no tiene par entre las colecciones análogas. Comprende exclusivamente obras maestras y piezas de primera calidad, y puede ser considerada como colección de obras de arte hechas en los centros artísticos más importantes de Rusia, Oriente y Europa Occidental. Sus piezas nos permiten seguir el curso del desarrollo de las formas de la decoración artística y revelan las particularidades nacionales de los arneses.

La colección de armas es una de las más grandes del mundo. Sus elementos nos permiten apreciar los diferentes tipos de armaduras defensivas, armas blancas y armas de fuego, así como los ejemplares de armas de lujo de producción rusa, oriental y euroccidental, que se destacan por la perfección de su adorno artístico. Las armas de caza y de gala, ornamentadas con gran esmero y maestría, constituyen el orgullo de la colección.

El proceso de formación de ambas colecciones duró tres siglos y estuvo estrechamente vinculado a la historia del Estado ruso. Anteriormente, todos los objetos formaban parte del tesoro zarista, donde se acumulaban enormes riquezas y la mayor parte de los objetos hechos en los talleres del Kremlin de Moscú durante el período floreciente de su actividad productiva. Junto a las obras de los mejores maestros rusose se encuentran las piezas traídas a Rusia, como presentes, por los mercaderes y embajadores procedentes de Irán, Turquía, Polonia, Inglaterra, Alemania, Holanda y otros países, con los cuales Moscovia mantenía buenas relaciones diplomáticas y comerciales. Se trataba de objetos muy extravagantes, destinados a agasajar a los prestigiosos y poderosos gobernadores rusos. Sin embargo, la fuente de enriquecimiento del tesoro zarista la constituían las piezas fabricadas por los artífices de los grandes talleres de la Armería y de la Caballeriza. Por lo tanto, no sorprende que dichas cancillerías de la corte fueran las primeras en adquirir la estructura de organismos estatales, con la introducción en 1495 del alto cargo de "konyushiy" (caballerizo mayor) y en 1511 el de "oruzhnichiy" (armero mayor). Estos cargos se otorgaban a los boyardos favoritos del zar y representaban los eslabones más estimados del sistema jerárquico estatal.

La Caballeriza surgió a fines del siglo XV, basándose en el "Konyushiy put", departamento mencionado en la carta de los hijos de Iván Kalita del año 1341. En el siglo XVII, dicha Caballeriza era un organismo importante, con un personal de 700 personas. Su sede estaba situada en un edificio apropiado en el distrito del Kremlin de Moscú, no lejos de la Puerta Borovitskaya. En dicha Caballeriza se encontraban los talleres de producción de sillas de montar (sedelnaya), de carretas (kolymazhnaya), de trineos (sannaya), de carros (vozkovaya) y de carrozas (karetnaya). Además, este departamento se encargaba de la decoración para los paseos del zar y las recepciones de los embajadores extranjeros, de la ornamentación de las cuadras y cocheras zaristas y de la guardia, así como de las residencias de los embajadores.

La Armería también representaba un importante organismo administrativo de la corte, que se encargaba de la organización de la producción de armas y corazas para las tropas rusas. Disponía del un gran taller de armería, donde trabajaban los mejores armeros de todas las ciudades, pueblos y monasterios de Rusia, y también maestros extranjeros. En el siglo XVII, los armeros se subdividían según los métodos de producción que dominaban o según los talleres donde trabajaban en los "stvolshiki", maestros en la producción de cañones, "zamochniki", que fabricaban llaves de armas, "lozhevshiki", que hacían cañones de fusil, así como los forjadores de hojas de sables y los fabricantes de corazas. La Armería del Kremlin cumplía la función de escuela de arte productora de armas para toda Rusia. Los maestros más cualificados de esta sede fabricaban las armas de gala, ornamentándolas muy lujosamente. Estas piezas constituían el tesoro zarista de armas del "Gran Atavío". El zar las llevaba durante las grandes fiestas y paseos particularmente solemnes, con motivo de recepciones de los embajadores, al pasar revista a las tropas y durante las suntuosas partidas de caza.

En la Rusia de los siglos XVI—XVII, la decoración de las procesiones ceremoniales, tales como las recepciones de los embajadores y los paseos de los zares, se consideraba un hecho de importancia política. Estas ceremonias ponían de manifiesto ante los extranjeros el esplendor de la corte zarista, la riqueza y el poder del Estado ruso. Servían para impresionar a las masas populares y hacerlas temblar ante el poder del zar. El tesoro de la Caballeriza desempeñaba un papel significativo en la decoración de estas ceremonias. Los paseos del zar eran muy ostentosos, y su ritual revestía una gran solemnidad, como si se tratara de espléndidos actos teatrales. Usualmente, en las procesiones participaban varios miles de jinetes y decenas de carrozas doradas, pintadas con colores llamativos. Se han conservado algunos testimonios de extranjeros, que contienen narraciones vívidas sobre los paseos de aquella época. Un miembro del séquito del príncipe danés Juan hizo el siguiente comentario relativo a la suntuosidad de uno de los paseos del zar Boris Godunov al monasterio de la Trinidad y San Sergio: "El cortejo iba encabezado por 600 hombres a caballo. Les seguían las carrozas ... 5000 jinetes cerraban la procesión".

A continuación señalaba que los paseos de Boris Godunov siempre causaban mucha impresión y sorpresa por el esplendor y la perfección de su decoración. Describiendo la coronación de Feodoro Ivanovich, el embajador inglés Iereney Korsey valoró el arnés de uno de los caballos del zar en 300 mil libras esterlinas. William Parry, que atravesaba Rusia con el séquito de la embajada persa, en 1599—1600, describió el paseo del zar al monasterio de la Trinidad y San Sergio: "Durante toda la mañana salían numerosos destacamentos de caballería de la ciudad y se paraban para saludar al zar al salir éste por la puerta de la ciudad. Cerca del mediodía, el zar envió a su guardia a encabezar la procesión, todos a caballo, vestidos con "kaftanes" rojos. Iban en fila de a tres, armados de arcos y flechas, con los sables en el cinturón y las hachas en las caderas. Veinte hombres seguían la vanguardia, tirando de veinte hermosos caballos con sillas ornamentadas con gran maestría, y otros diez para el hijo y heredero del zar."

En el siglo XVII, los paseos no eran menos fastuosos. Según las impresiones del embajador inglés Govard Carleil, que visitó Moscú en el año 1664, los paseos del zar Alexey Mijailovich se destacaban por la belleza y el brillo de los arneses, que parecían "complementar con su resplandor la luz del día". Los caballos iban cubiertos de varios caparazones a la vez. Las perlas tornasoladas y opacas, las placas doradas, decoradas con esmalte y piedras preciosas, daban a estos caparazones un aspecto pintoresco y lujoso. En la frente, cada caballo llevaba una estrella brillante con rubíes y esmeraldas, y del cuello pendía una enorme borla de perlas e hilos de oro. Incluso en los piess, los animales llevaban hermosos brazaletes dorados y cadenas de plata, que pendían del arzón sobre los costados de los caballos. Al menor movimiento del caballo, estas cadenas producían sonidos melodiosos y aflautados.

Con un lujo similar se realizaba la decoración para las recepciones de las embajadas. A veces, el número de caballeros que podían ser enviados al encuentro de los embajadores ascendía a dieciséis mil, y las carrozas y los arneses que llevaban los caballos se destacaban, no sólo por su riqueza, sino también por la armonía de sus adornos. En Moscú, los bellos caballos de pura raza y los lujosos arneses provenientes de la cuadra del zar eran presentados a las embajadas extranjeras. El inglés Richard Chancellor escribe en sus memorias: "Estando yo en Moscú, el gran príncipe envió dos embajadores a la corte del rey polaco, con una escolta de por lo menos 500 jinetes. Tanto ellos como sus caballos iban vestidos de terciopelo y brocado de oro, cubiertos de numerosas perlas. " La solemne procesión por las calles de la ciudad atraía la atención de muchos espectadores, que quedaban encantados por el acto casi teatral, por su lujo y belleza.

De acuerdo con los datos del inventario del tesoro zarista del año 1706, es posible estimar cuán espléndido era el ritual de las recepciones de los embajadores y los paseos de los zares a fines del siglo XVII. La organización y el adorno de dichas ceremonias revestían la misma importancia que en tiempos pasados. Se invitaba a los embajadores y huéspedes a tomar parte en las partidas de caza de la corte, durante las cuales, a veces, se resolvían importantes problemas políticos. La caza era el pasatiempo favorito de los zares y su reglamentación era muy estricta.

El adorno resplandeciente de los actos era de particular importancia. Los caballerizos del zar aprovechaban la ocasión para mostrar hermosos caballos de raza engalanados con sillas, correajes y caparazones preciosos. En la ceremonia, cada participante podía hacer uso de los numerosos perros de caza. Se utilizaban diversas armas de caza: flechas con puntas de acero y hueso para cazar animales de piel fina, venablos para acosar osos, alces, jabalíes, así como puñales y cuchillos, escopetas y pistolas con cañones de distintos calibres. Todas las armas eran técnicamente perfectas, y al mismo tiempo se destacaban por sus bellos adornos. El embajador imperial Sigismundo Herberstein, que estuvo en Rusia en 1517, dejó un interesante testimonio escrito sobre una gran cacería de liebres en la que participó.

La caza de cisnes, grullas y otras aves, para la cual se utilizaban halcones, gerifaltes y azores, era un pasatiempo usual de los zares.

Los paseos de parada y la caza de los zares desempeñaban un papel muy importante en la vida de la corte, estrictamente reglamentada, y en la etiqueta diplomática de los siglos XVI—XVII. Las ceremonias de gala, que tuvieron lugar durante este período, reflejaban fielmente los acontecimientos más importantes de la historia nacional, de la política, diplomacia, ideología estatal, psicología y vida cotidiana de los rusos.

Las fuentes manuscritas de la época permiten afirmar que la mayoría de los arneses de gala y de las armas de los siglos XVI–XVII, que son de un valor artístico sin par, han logrado subsistir hasta nuestros días. En la actualidad, estas magníficas obras atraen a los visitantes de la Armería. Algunas de las mejores piezas de los arneses y de las armas forman parte de esta exposición. Todas ellas se utilizaron mucho durante los paseos ceremoniales de la corte rusa, las recepciones de los embajadores extranjeros y durante las partidas de caza del zar.

Los objetos del tesoro de la Caballeriza no representan solamente un fenómeno original de la vida cotidiana de la Rusia antigua, sino que en ellos se pone de relieve la síntesis de las diferentes ramas de las artes decorativas, típicas de la cultura artística moscovita de los siglos XVI—XVII. No es una casualidad que los mejores maestros de las diferentes especialidades trabajaran en los talleres de la Caballeriza. El talento y el arte alcanzaron un alto grado de perfección. En las manos hábiles de los orfebres, cinceladores, grabadores y guarnicioneros la materia se convertía en lujosas sillas y estribos engastados y en espléndidos conjuntos de oro y plata. Las costureras bordaban las tapicerías de las sillas y de los caparazones con hilos de oro y plata y los engalanaban con esmeraldas y piedras preciosas. Dichos ornamentos causaban impresión por su belleza. Las obras de los artífices rusos gozaban de buena fama más allá de las fronteras del Estado, y en Occidente surgió una demanda muy grande de estos artículos.

El conjunto de sillas de montar presenta un especial interés. La producción de las sillas se expandió en Rusia en la segunda mitad del siglo XVII. Se destacaban por su sencillez, la armonía lógica de sus formas y una estructura original, a saber, los arzones bajos y anchos. Para su decoración se utilizaban ampliamente filigranas y esmaltes, junto con un finísimo grabado, nielado, cincelado, así como bordados.

El buen gusto artístico de los orfebres rusos se materializó en la silla de montar que data del año 1682 (cat. nº 1). El fino ornamento de filigrana cubre armónicamente de espirales curiosas toda la superficie engastada. El esmalte, que embellece el ornamento de colores brillantes, es verde, amarillo y azul. Esta silla fue hecha por los famosos maestros de la época L. Mymrin, L. Afanasiev, S. Fedotov. Las sillas mencionadas no se utilizaban usualmente de acuerdo con su fin primario, sino que se exponían durante los paseos de gala, las recepciones de los embajadores, al pasar revista a las tropas y durante otras ceremonias a las que asistía el zar. Para estas ocasiones solían emplearse caballos especialmente escogidos.

La intención de alcanzar una ornamentación espléndida se manifiesta en la decoración de otra silla, que data de la segunda mitad del siglo XVII (cat. nº 3). Toda la superficie de su tapicería y de su cojín de terciopelo color guinda está bordada de oro.

"La pintura a aguja" era un tipo de artesanía ampliamente difundido en Rusia y consistía en lo siguiente: el pintor dibujaba un ornamento en el tejido y, a continuación, la costurera lo bordaba con hilos de oro y de plata. Los artífices más experimentados se encargaban de la elaboración de la imagen artística en general, la ornamentación y el ajuste. Dichos maestros dominaban una serie de especialidades. En el decorado de la silla (cat. nº 5) fabricada en 1677 por los artífices Andrej Pavlov y Miguel Mijailov se combinó, por ejemplo, el nielado con el grabado. Su motivo se basa en los grabados típicos de la época. Según los datos que figuran en los anales del siglo XVII, los maestros Pavlov y Mijailov "hacían los engastes de plata cincelada con esmalte para las sillas del zar". Los adornos pectorales y de la testera de los caballos, a cuya ornamentación se solía dedicar mucha atención, desempeñaban un papel destacado entre los elementos de decoración para los cortejos solemnes. En esta exposición se presentan piezas curiosísimas de tal índole. Causan admiración por su buen gusto artístico y la maestría poco común de su ejecución. Los objetos en cuestión se destacan por su aspecto festivo y sus formas típicas del arte ruso del siglo XVII (cat. nos 3,6,7,8).

En este sentido, merece especial atención el conjunto decorativo (cat nos 6, 7) que se compone de la cabezada, petral y baticola del caballo, datables de la segunda mitad del siglo XVII. El conocimiento de la cultura de Oriente y los artículos traídos de aquellos países, así como la estrecha colaboración con maestros extranjeros, contribuyó a enriquecer la técnica de la escuela artística rusa. Los nuevos procedimientos llegaron a ser empleados ampliamente en la elaboración artística de los arreos de parada. A título de ejemplo, véase la decoración del petral (adorno del pecho de los caballos) del siglo XVII (cat. nº 21).

Las tendencias artísticas de la época se materializaron en la fabricación de las frontaleras (cat. nᵒˢ 9, 10). Con gran esmero, el esmaltador cubrió de graciosas espirales la lámina de oro encorvada de una de las frontaleras. Piedras preciosas resplandecientes complementan el ornamento de esta magnífica obra. Tales piedras abundaban en la artesanía de aquel tiempo y aumentaban el colorido del adorno. (cat. nᵒ 9).

La mayoría de los maestros de la Caballeriza mantenían estrechas relaciones con el pueblo, por lo que introdujeron en sus obras elementos del arte popular. Rindiendo tributo a los gustos de la corte zarista, creaban espléndidos objetos, en los cuales los elementos heráldicos oficiales iban armónicamente combinados con imágenes reales y fantásticas y los motivos ornamentales del arte popular (cat. nᵒˢ 2, 5, 11).

Las borlas constituían un elemento indispensable de los arneses de caballo del siglo XVII. Anteriormente, las borlas se habían utilizado como amuletos. En la exposición se presentan dos ejemplares muy lujosos de este tipo de adorno (cat. nᵒˢ 14, 15). Uno de ellos, de plata fundida, tiene forma de águila bicéfala. De estas figuras cuelgan borlas de numerosos y largos hilos de oro enlazados (cat. nᵒ 15).

Los estribos tienen una forma sorprendentemente hermosa y proporcional. Uno de ellos se compone de una barra arqueada y poco ancha, con una parte inferior estrecha; otro de ellos dispone de un arco estrecho y una rejilla circular (cat. nᵒˢ 2, 11). Los rasgos característicos de dichas piezas son la perfección técnica, la abundancia ornamental y la labor en filigrana. De acuerdo con las fuentes manuscritas de aquella época, ésta era la forma más común empleada en la fabricación de estribos en la Rusia del siglo XVII.

Entre los diversos elementos de los arneses de gala merecen especial atención las rodilleras (cat. nᵒˢ 18, 19) – artículos puramente decorativos – y las fustas (cat. nᵒˢ 12, 13), que no sólo forman parte de los arneses, sino que son magníficos ejemplos de la orfebrería y del bordado decorativo rusos. El gran sentido artístico de los maestros respecto a la selección de los materiales permitió que lograran crear un conjunto armónico en el que un elemento pone de relieve las mejores calidades del otro.

La peculiaridad del ceremonial de gala ruso consistía en engalanar los caballos de desfile con cadenas de rienda y cadenas retumbantes de plata o plateadas, que se fijaban a los bocados y sillas. Estas daban repiques melódicos con los movimientos del caballo. Las cadenas se componían de numerosos anillos entrelazados y decorados con hierbas, flores, aves y animales cincelados (cat. nᵒˢ 16, 17).

De esta forma, la ornamentación de los arreos del siglo XVII armonizaba perfectamente con las tendencias principales de las artes decorativas rusas de la época. A principios del siglo XVII todavía se utilizaban los procedimientos de ornamentación propios del siglo anterior.

No obstante, ya se percibían nuevas tendencias que manifestaban una inclinación hacia una decoración aún más perfecta. Las obras fabricadas a mediados o en la segunda mitad del siglo XVII, se destacaban por su solemne carácter festivo respecto a las decoraciones. En las postrimerías del siglo XVII, los elementos del estilo barroco empezaron a manifestarse en los adornos con mayor frecuencia. Todas las obras expuestas en las salas de esta exposición representan, por su estilo y factura, los rasgos propios de la escuela de Bellas Artes de los talleres del Kremlin moscovita.

Entre los numerosos arneses de gala que se guardan en los museos estatales del Kremlin de Moscú, destaca la colección oriental, que se puede considerar como una de las más importantes. En los siglos XVI–XVII se acumularon magníficos arneses en el tesoro zarista, que fueron donados por los mensajeros diplomáticos y comerciales de los Estados orientales. Ello se debió al amplio reconocimiento del Estado ruso y al papel que desempeñaba a nivel internacional. Los arreos traídos de Oriente se utilizaban en la vida cotidiana rusa y, de esta forma, gozaban de una demanda constante. Los caparazones, sillas, arreos y otros objetos traídos a Moscú procedentes de Irán y Turquía son abundantes.

La cabezada que data de comienzos del siglo XVII es una de las obras originales de Persia. Dicha cabezada fue un obsequio del sha Safi al zar Miguel Feodorovich y fue traída por el embajador de aquél, Andi–bek, en 1635 (cat. nº 39). La superficie de las correas de cuero está decorada con launas de oro cinceladas y piedras preciosas. Las piedras preciosas grandes van montadas en un engarce con altos bordes que se adapta a la forma natural de la piedra. Además, en esta pieza se aplicó un método especial, que consistió en combinar las espirales de engarce con flores hechas de pequeñas piedras. La superficie dorada del adorno frontal está cubierta de grandes piedras preciosas montadas en altos engarces, arabescos, retoños, hojitas hechas de rubíes, esmeraldas y turquesas. La frontalera se destaca por su original estilo decorativo, que consiste en incrustar piedras preciosas brillantes sobre el fondo mate de oro.

En la exposición se presenta un ejemplo significativo de la cultura decorativa persa, el caparazón (cat. nº 40), traído del Irán a principios del siglo XIX como obsequio para el zar.

En 1625, el embajador persa Rusanbek obsequió al zar Miguel Feodorovich con arneses fabricados por maestros turcos (cat. nºs 28–30). Los tres elementos, a saber los adornos de la cabezada, del petral y de la baticola, forman un conjunto decorativo. Dichos elementos están adornados con motivos vegetales nielados y grabados y con raras piedras semipreciosas, los peridotos.

Las obras de arte turcas del siglo XVII gozan de una abundante representación en la Armería. En 1495, se establecieron relaciones diplomáticas y comerciales estables entre Rusia y Turquía, y a lo largo de doscientos años Turquía seguiría siendo uno de los socios comerciales de Rusia. Los elementos brillantes de los arneses turcos introdujeron un carácter festivo y particularmente solemne en el adorno de los paseos de gala del zar. Las piezas fabricadas en Turquía que se hallan en nuestra colección, se remontan al período resplandeciente de la vida artística del Imperio otomano. Dichas piezas, fabricadas en los talleres de Estambul, fueron traídas a Rusia como obsequios de embajadores y representantes comerciales. Muchas de estas piezas se caracterizan por una perfección artística sin par, que se manifiesta en el perfil de las sillas (cat. nº 32) y en su primoroso decorado, en el que prevalecen los motivos vegetales (cat. nº 31).

Como metal precioso se utilizó sólo el oro y como piedras preciosas, los rubíes, diamantes y esmeraldas. Los caparazones se distinguen por la delicadeza y la elegancia de sus formas, así como por el primor de su ornamento (cat. nºs 24, 33).

A las obras raras del siglo XVII pertenece un conjunto compuesto por la frontalera, la cabezada y el petral. Su decorado difiere totalmente del ornamento impresionante de las obras arriba descritas. La montura de plata de estos objetos está adornada con filigranas de motivos vegetales nielados.

Las sillas turcas del siglo XVII que se muestran en la exposición tienen un fuste ancho y el arzón de atrás sesgado. Para la tapicería se utilizó terciopelo con un dibujo bordado de flores y plantas. Para el adorno de una de las sillas (cat. nº 32) se aplicó un método decorativo típico de las piezas turcas, que consiste en el uso de placas de nefrita, incrustadas con oro y piedras preciosas. Las "zaponas" (launas decorativas) de oro y plata se adornaban con piedras semipreciosas de diferentes matices, nefritas y jaspe. Las piedras se incrustaban con oro. En la primera mitad del siglo XVII se comenzó a aplicar este método decorativo. Los caparazones de tejidos preciosos decorados con placas de oro y piedras preciosas desempeñaban un papel destacado en la espléndida y brillante decoración de los paseos de gala. El caparazón expuesto (cat. nº 37) es de terciopelo color guinda, bordado de motivos vegetales en oro. Por ello, esta pieza del arnés goza de un carácter especial. La abundancia del oro y su brillo corresponden a su finalidad específica. Los objetos más caros del tesoro zarista eran las piezas fabricadas en Estambul, el centro industrial más importante del Estado turco.

El abundante empleo de piedras preciosas daba un lujo singular a las obras de los maestros de Estambul. A título de ejemplo de dicho método artístico —decorativo sirvan los ornamentos realizados en la segunda mitad del siglo XVII (cat. nºs 24, 33), adornados con placas caladas cubiertas de diamantes y rubíes.

Las piezas del arnés de gala chino – silla, estribo y caparazón – , datan de la segunda mitad del siglo XVII. Dichos objetos fueron traídos a Rusia por Nicolás Spafari, que dirigió la embajada rusa en China de 1675 a 1678. Debido a la semejanza de factura y decoración, se puede suponer que existía un único centro de producción. La fina ejecución de estos elementos decorativos nos hace suponer que han sido fabricados en un gran centro artístico, probablemente en Pekín y en los talleres especializados de Nankín. Para su decoración se utilizaban esmaltes tabicados (cat. nº 43) y madreperla de diferentes matices (cat. nºs 41, 42). El juego de claro y oscuro resultante de la diferencia de altura entre los elementos del ornamento, realizado sobre la montura de bronce dorado de las sillas y estribos, crea un efecto impresionante. En los paseos de gala del zar, a menudo se utilizaban los caparazones traídos de China, de rico colorido y nobles materiales (cat. nº 45).

En la exposición se muestran ornamentos traídos de Crimea en el siglo XVII (cat. nᵒˢ 25–26). La colección de los arreos europeos se formó con los obsequios ofrecidos por los mercaderes y embajadores de las potencias europeas. Estos originales testimonios de las negociaciones de paz narran la paulatina ampliación de las relaciones políticas, comerciales y culturales del Estado ruso. La colección del museo, única en su género, consta, principalmente, de obras de maestros polacos y alemanes de los siglos XVI–XVII.

Estos arneses alemanes gozaron de gran estima en aquella época por la armonía de sus formas y la perfección del adorno decorativo. En los ornamentos de muchas piezas alemanas del siglo XVII de dicha colección se reflejan los rasgos característicos del barroco; no obstante, en algunas de ellas, se conservan las formas antiguas y los ornamentos de los siglos anteriores. Estas piezas, que representan de diferentes maneras las tendencias del arte regional, nos permiten seguir la evolución de este tipo de artesanía. En esta exposición se presentan interesantes ejemplos de arneses del siglo XVII. Estos corroboran el hecho de que los maestros alemanes sabían utilizar con habilidad todas las calidades decorativas de los materiales. Los materiales y adornos elegidos no quebrantan la unidad artística de las obras, y, además, dichos ejemplares siempre revelaban la función intrínseca de las piezas. Los maestros alemanes no sólo fueron grandes orfebres, sino también especialistas en bordados artísticos. Las fundas de pistola (cat. nᵒˢ 47, 48) son verdaderas obras maestras. El bordado de oro en estas piezas se aproxima por su perfección a los cincelados expresivos de obras finísimas. El hecho de que los artesanos alemanes fueran grandes maestros en su especialidad, se puede probar mediante un ejemplo concreto. Se trata de una silla fabricada en la segunda mitad del siglo XVII (cat. nº 46). Esta silla está forrada de terciopelo color guinda y adornada con finos hilos de oro elegantemente entrelazados. El dibujo expresivo se combina armónicamente con el fondo color guinda. El fleco de oro, incorporado al adorno general, subraya las líneas de la silla. La estructura de la silla es similar a los ejemplares antiguos, cuyas formas se remontan a la época de la caballería. Esta obra se destaca por la sobriedad de su adorno, surgida como reacción a la decoración recargada de los arneses de estilo barroco o correspondiente a los gustos estéticos del cliente.

La guarnición del caballo de parada del zar Feodoro Alexeievich consta de la cabezada, del petral y de la baticola, que forman un conjunto unitario (cat. nᵒˢ 49–51). Estos elementos causan impresión por la virtuosidad de su ejecución. En el ornamento de la cabeza y del pecho del caballo se utilizó la madreperla, que desde hacía mucho tiempo venía atrayendo la atención de los maestros por su asombroso brillo tornasolado. El ansia de lograr una ejecución lujosa y original, típica del arte de aquella época, constituía la base de la gran demanda de materiales exóticos y singulares. En la decoración de todo este conjunto, desempeña un papel importante el relieve de plata fundida combinado con piedras preciosas, cuyo resplandor da a las piezas un aspecto pintoresco y vívido.

El lujo de las ceremonias de los paseos del zar, las revistas a las tropas y las partidas de caza, queda ilustrado en hermosas obras de los armeros del siglo XVII. Estas piezas se guardaban en la Armería estatal del Kremlin moscovita. Entre ellas figura el "pancir", la cota de malla compuesta de pequeños anillos forjados y enlazados (cat. nº 56). Estas fueron las vestiduras más usuales que se ponía el zar cuando salía a inspeccionar las tropas. Las corazas de fabricación rusa se estimaban especialmente en muchos países. A veces, el zar, a través de sus embajadores, regalaba corazas a los reyes, y las "kolchugas" rusas se consideraban los obsequios más preciados. La coraza constituía una segura protección contra flechas y golpes ejercidos con armas perforantes o tajantes. Al pasar revista a las tropas, a veces, el zar vestía sobre la coraza un ropón (cat. nº 117). Este traje no sólo engalanaba la pomposa vestidura zarista, sino que protegía también la armadura contra el mal tiempo. A menudo, se utilizaba una coraza aún más rica, la llamada "coraza con brillo de espejo", cuyas launas de hierro cubrían el pecho, la espalda y los costados y estaban adornadas con diferentes dibujos (cat. nº 57).

Para la caza de animales de piel fina se utilizaban arcos y flechas (cat. nos 69–72), que se guardaban en una funda y aljaba. El arco, las flechas, la aljaba y la funda del arco formaban un conjunto denominado el "saadak". Para el tesoro del zar se fabricaban especialmente unos saadaks adornados muy lujosamente. Según se sabe por documentos de archivo, se encargaba a los mejores orfebres y maestros de bordados sobre cuero "construir" un saadak para el zar. Uno de los mejores artífices de la Armería, Prokofiy Andreev, fabricó en 1673 un saadak extraordinariamente hermoso para el zar Alexey Mijailovich (cat. nº 66). El maestro bordó la superficie de cuero con hilos de oro y plata. La funda del arco lleva un ornamento muy interesante: en el centro de la funda se halla un panorama del Kremlin moscovita visto desde la Plaza Roja; abajo aparece el escudo estatal acompañado por los escudos de los territorios rusos. Se trata de una de las primeras reproducciones de los símbolos heráldicos de los territorios rusos. Un año más tarde, en 1674, el maestro Prokofiy Andreev recibió nuevamente la orden de fabricar un sadaak, idéntico al anterior, para regalárselo al zar el día de Pascua. El artífice adornó este sadaak con una composición aún más interesante, basada en un delicado motivo vegetal (cat. nº 67). Los sadaks lujosamente adornados constituían un elemento indispensable del ceremonial diplomático. Durante las recepciones de las embajadas, los "Rindas", representantes de las familias nobles, vestidos con trajes blancos y adornados con cadenas pectorales doradas, estaban presentes en un alto junto al trono del zar. Los "Rindas", así como los guardias de honor armados, acompañaban a los zares rusos en sus desfiles militares, participaban en las solemnes ceremonias, paseos y recepciones de embajadores extranjeros. Tres "Rindas" tenían un saadak con el arco, y otros cuatro, hachas de forma original. El hacha de embajada (cat. nº 61) es uno de los pocos ejemplares de este tipo que se ha conservado hasta hoy. El hierro del hacha está hecho de famoso acero damasquino y está adornado con lujosos símbolos que representan el poder estatal ruso: el águila bicéfala, el unicornio y el cetro.

Por todo el camino de la solemne procesión del monarca ruso estaban formados en fila los "streltsí" (así se llamaban los soldados rusos), vestidos con abrigos rojos, denominados "kaftanes" (cat. nº 20). Su armamento de gala comprendía sables rectos y corvos. Entre el ornamento de los demás participantes, se destacaba por su singular adorno el arma del "vaivoda", el jefe de los soldados. Plata, oro, piedras preciosas y diferentes decoraciones convertían las armas en verdaderas obras de arte.

En los talleres de la Armería se fabricaban armas de gala en grandes cantidades. En las obras de los maestros del Kremlin del siglo XVII se refleja un singular estilo decorativo que se caracteriza por su claridad, elegancia y variedad de colorido. Sin embargo, el fastuoso adorno de las armas de gala rusas no sólo tenía un brillante aspecto decorativo, sino que además poseía altas calidades bélicas. El sable cincelado de plata dorada, fabricado en la segunda mitad del siglo XVII en los talleres de la Armería, constituye un magnífico ejemplo de arma de combate. Su punta damasquina de cuatro aristas permitía dar sablazos penetrantes, y la curvatura de la hoja reforzaba la potencia de los sablazos (cat. nº 64).

A finales del siglo XVI se inicia la rápida difusión de las armas de fuego, mosquetes, carabinas, arcabuces y pistolas. Se fabricaban en grandes cantidades en los talleres del Kremlin. Actualmente, se halla en los museos una colección completa y única en su género de armas de lujo rusas del siglo XVII. El adorno de estos objetos refleja el brillante estilo decorativo del arte ruso. Las culatas de fusiles y las empuñaduras de pistolas se incrustaban con marfil, madreperla, plata, concha de tortuga y maderas preciosas; los motivos de las llaves simbolizan animales fabulosos y están cubiertas de volutas vegetales. Los cañones se adornaban con oro, grabados y labores cinceladas doradas y plateadas (cat. nºˢ 77, 78). Los arcabuces y pistolas rusas estaban dotadas de llaves de chispa de tipo ruso y tenían cañones estriados de diferentes calibres que se destacaban por su resistencia y seguridad.

Desde fines del siglo XVI, los fusiles empezaron a utilizarse como armas de caza, debido a su alto rendimiento en el combate y la precisión de tiro que garantizaban.

En los siglos XVI—XVII, se utilizaban con frecuencia en los solemnes paseos y las cazas de gala, junto al arma rusa, tipos de armas importadas de Oriente y Occidente, sables rectos y corvos, mazas, puñales, venablos, arcos, etc. El sable corvo del conde vaivoda Semion Volinskiy (cat. nº 93) es uno de los rarísimos ejemplares del arte armero persa de la primera mitad del siglo XVII. El puñal persa con ornamento extraordinariamente rico y sofisticado es una obra que alcanza un alto nivel internacional. Este puñal fue un regalo del sha persa Abbas II al zar Miguel Feodorovich (cat. nº 94).

Dos sables cubiertos de oro y adornados con diamantes fueron ofrecidos como obsequios a los zares y hermanos Iván Alexeievich y Pedro Alexeievich (el que fuera más tarde Pedro el Grande). Sólo se ha conservado el sable del zar Iván Alexeievich (cat. nº 96), que está adornado con diamantes. Dichos sables se fabricaron en la segunda mitad del siglo XVII en Estambul, en los talleres de la corte del sultán. Esta arma confirma claramente el resplandor de la orfebrería turca en aquella época.

Las armas decorativas traídas de Europa Occidental, a saber, armaduras, sables rectos y corvos, fusiles, pistolas, servían de adorno original durante las ceremonias oficiales. Muchos de estos objetos fueron ofrecidos como obsequios a los zares rusos. Sus formas y estructuras eran extrañas y poco comunes en Rusia. En la Armería de Moscú se expone una armadura de jinete y una barda de caballo fabricadas por el famoso armero Kunz Lochner. Se trata de regalos ofrecidos al zar Feodoro Ivanovich por parte del rey polaco Esteban Báthori.

Merece especial atención una armadura de niño (cat. nº 107). De los anales se sabe que los zares rusos y sus hijos llevaban este tipo de armadura al pasar revista a las tropas y en ciertos momentos de las recepciones de embajadores, para recalcar el poder militar del Estado ruso.

Desde tiempos muy remotos, una buena arma gozaba de gran prestigio en Rusia. Muchos altos dignatarios de la corte rusa y los zares guardaban las armas más valiosas con gran cuidado y respeto. Pedro I, por ejemplo, coleccionó durante toda su vida armas blancas y armas de fuego. Su colección contaba con más de 500 objetos, algunos de los cuales se presentan en esta exposición (cat. nos 108, 110, 112, 115, 116).

Por primera vez, se realiza ahora una exposición monográfica titulada "El ceremonial de gala en la Rusia del siglo XVII (desfile y caza)". Esta exposición se divide en dos partes: 1ª. El desfile de gala. 2ª. La caza real. Cada una de las partes está compuesta por una selección de obras rusas, orientales y europeas. En la exposición de los objetos se sigue un orden cronológico. Confiamos en que nuestra exposición despierte el interés de los especialistas y aficionados a las antigüedades.

L.P. Kirilova
T.V. Martynova
E.V. Tijomirova

Indice de personalidades históricas

1. Alexey Mijailovich: zar ruso (1645–1676)
2. Andi-bek: embajador iraní; estuvo en Rusia en 1635
3. Larion Afanasiev: de origen sueco; encontró en Rusia una segunda patria. El 1 de Septiembre de 1661, se convirtió en discípulo de Vasiliy Ivanov, un artifice de la Cámara de Platería. De 1664 a 1692, trabajó en la Cámara de Platería del Kremlin de Moscú.
4. Semion Volinskiy: príncipe, jefe del ejército (primera mitad del siglo XVII)
5. Dzhan-bek-Guirey: kan de Crimea (1610–1623, 1627–1635)
6. Iván Alexeievich: zar ruso (1682–1689)
7. Miguel Feodorovich: zar ruso (1613–1645)
8. Miguel Mijailov: artífice de la Cámara de Platería. A mediados y en la segunda mitad del siglo XVII, trabajó en los talleres de Kremlin.
9. Lucas Mymrin: artífice de la Cámara de Platería. Su nombre aparece entre 1682 y 1700 en el Archivo de la Armería.
10. Andrej Pavlov: artífice de la Cámara de Platería. En los archivos existen informes sobre su actividad en los años 70 del siglo XVII.
11. Pedro I el Grande: zar ruso (1682–1725)
12. Rodionov, Abrahán: comerciante de origen griego y nacionalidad turca, que emprendió varios viajes a Rusia en los años 50 del siglo XVII.
13. Romanov, Nikita Ivanovich: estadista. Las primeras menciones que se refieren a él datan de 1629. Murió en 1654.
14. Rusanbek: embajador iraní; estuvo en 1625 en Rusia
15. Sefi (Safi) I: sha iraní (1629–1642)
16. Spafari, N. G.: embajador ruso en China (1675–1678)
17. Semion Fedotov: artífice de la Cámara de Platería. En los archivos, existen informes sobre su actividad en los años 1676–1687.

Bibliografía

Опись Московской Оружейной палаты. Кн. 2—5., ч. 3—6, М., 1884—1885.

Адам Олеарий. Описание путешествия в Московию и через Москови в Перси и обратно. СПБ., 1908.

Записки де ля Невиля о Московии. Русская старина. Т. 71, СПБ., 1891.

А. Е. Викторов. Описание записных книг и бумаг старинных дворцовых приказов. Вып. 2., М., 1883.

И.И. Вишневская. Группа предметов парадного конского убранства. В кн.: Государственные музеи Московского Кремля. Материалы и исследования. Новые атрибуции. Вып. У., М., 1987.

С. Герберштейн. Записки о московитских делах. СПБ., 1908.

А. А. Гончарова. Одежда и украшения XVI—XIX вв. В кн.: Оружейная палата. М., 1964.

А. А. Гончарова. Древние государственные регалии. В кн. Оружейная палата. М., 1964.

М. М. Денисова. Конюшенная казна. Парадное конское убранство. В кн.: Государственная Оружейная палата Московского Кремля. М., 1954.

Л. П. Кирилова. Конюшенная казна. В кн.: Оружейная палата. М., 1964.

Л. П. Кирилова. Предметы парадного конского убранства XVI—XVIII вв. В кн.: Государственная Оружейная палата. М., 1985.

Л. П. Кириллова. Путеводитель по Оружейной палате. М. 1954.

И. С. Ненарокомова, Е. С. Сизов. Художественные сокровища Государственных Музеев Московского Кремля. М., 1978.

М. М. Постникова-Лосева, Н. Г. Платонова. Русское художественное серебро. М., 1957.

Реставрация художественных ценностей в СССР. М., 1984.

Сокровища прикладного искусства Ирана и Турции XVI—XVIII вв. М., 1979.

Е. В. Тихомирова, Т. В. Мартынова. Оружие и конское убранство. М., 1989.

Е. В. Тихомирова. Коллекция оружия Петра I. М., 1983.

В. И. Троицкий. Словарь московских мастеров золотого, серебряного и алмазного дела XVII в., вып. 2., Л., 1928.

Э. П. Чернуха. Русская светская одежда XVI–XVII вв. В кн.: Государственная Оружейная палата. М., 1988.

Е. А. Яблонская. Памятники оружейного мастерства XII–XX вв. В кн.: Государственная Оружейная палата. М., 1988.

Russian arms and armour, 1982.

Treasures from the Kremlin. New York, 1979.

Tresors des Musées du Kremlin. Paris, 1979.

Tresori del Cremlino. Roma, 1982.

Tresoros del Kremlin. Mexico, 1982.

Schätze der Museen des Moskauer Kreml. Berlin, 1987.

Tresori museja moskovskogo Kremlja. Beograd, 1985.

Catálogo

Desfile de gala

ARNESES DE CABALLO RUSOS

1   SILLA DE MONTAR

Moscú, taller del Kremlin. 1682
Artífices: Lucas Mymrin, Semion Fedotov, Larion Afanasiev
Madera, plata, cuero, terciopelo
Afiligranado, esmaltado, dorado, tejido
Longitud de la silla: 46 cm
Altura del arzón delantero: 23 cm
Altura del arzón trasero: 17 cm
Inventario: N° K−124; 8452 op

Durante la segunda mitad del siglo XVII, en Rusia se daba mucha importancia a la organización de procesiones solemnes (paseos públicos de los monarcas y de la corte, así como recepciones de embajadores). Estos paseos y procesiones representaban espectáculos aparatosos, que creaban la necesidad de fabricar costosos arneses para las caballerías. Muchas obras de aquella época maravillan por su pomposidad. En la fabricación y adorno de los arreos de caballo, los artífices utilizaban diversas técnicas de joyería. En esta clase de artículos y acorde con la estética de la época, el esmalte desempeñaba un papel muy importante en la decoración. Los artífices lo empleaban en abundancia, combinándolo con ornamentos afiligranados de plata, para adornar las sillas de montar. Esta silla, fabricada por un grupo de artífices del Kremlin, constituye una obra maestra del arte del esmalte y su decoración refleja las tendencias artísticas de la época. La silla está labrada en plata dorada, creando una delicada red de filigrana, cubierta de esmalte verde, amarillo, blanco y azul, asemejando un fino encaje de color. Este adorno crea el principal efecto decorativo. Resulta muy acertada la combinación del ornamento esmaltado con el revestimiento en terciopelo de la silla. Esta pieza reúne una sobria belleza formal, una elegancia primorosa, una sorprendente armonía de sus elementos decorativos y un acabado perfecto. Este tipo de sillas de montar se utilizaba, generalmente, sólo en las procesiones de la corte y formaba parte de la Caballeriza Real. Las sillas estaban al cuidado de cortesanos escogidos y se exhibían durante las grandes recepciones de embajadores, desfiles de tropas y otras muchas ceremonias que contaban con la participación del zar. La silla arriba descrita, que se destaca por su rica decoración, se

utilizó durante el desfile de los zares Iván y Pedro I, que cogobernaban el país en los años 1682–1689.

La fabricación de estos arneses se encargaba a artífices sumamente cualificados, cuyo trabajo era altamente remunerado. Las fuentes escritas indican que la presente silla fue hecha, en 1682, por Lucas Mymrin, Semion Fedotov y Larion Afanasiev, artífices del Taller de Orfebrería del Kremlin. Estos artífices tenían fama de ser los mejores de los talleres del Kremlin y eran, al mismo tiempo, especialistas en filigrana y esmalte. También dominaban otras técnicas de labrar metales y fabricar sillas de montar y podían crear con igual éxito tanto arneses de caballería como objetos de culto.

2   PAR DE ESTRIBOS

Moscú, taller del Kremlin. Hacia 1670–1680
Plata, hierro
Repujado, cincelado
Altura: 17 cm
Superficie de la rejilla: 10, 5 x 11, 5 cm
Inventario: Nº K–172/1–2; 8733 op

En los siglos XVI–XVII, no era casual que los arreos de caballería se guardaran en el Tesoro Real, ya que se empleaban en las procesiones y ceremonias de recepción de embajadores extranjeros y como ejemplares destinados a mostrar a los extranjeros el arte de los guarnicioneros, orfebres y joyeros rusos. Entre las piezas destacadas de la guarnicionería y orfebrería figuran estos estribos del siglo XVII, que son arqueados y de rejilla redonda. Resaltan por su esbeltez y delicada forma. Esta forma proviene, quizás, de cuando antiguamente los rusos combatían con los nómadas y empleaban sillas y estribos que les permitían volverse libremente hacia todos los lados.

Estos estribos son de plata dorada. La superficie de los brazos y del borde de la rejilla está adornada con diversos motivos vegetales cincelados en bajo relieve. La rejilla presenta cincelada la imagen del águila bicéfala que figuraba en un marco o una tarjeta ornamental. Según la representación de la tarjeta se puede pensar que los estribos fueron hechos en los años 70 del siglo XVII. Este elemento barroco aparece en la ornamentación de los arneses rusos precisamente en aquella época. Los estribos fueron fabricados en el taller del Kremlin de Moscú, según consta en uno de los más antiguos Inventarios de los Bienes Reales, datable de finales del siglo XVII. Dicho Inventario indica que los estribos fueron utilizados por el zar Alexey Mijailovich.

3 PETRAL

Moscú, taller del Kremlin. Segunda mitad del siglo XVII
Plata, gemas, cobre, cuero, cintas
Repujado, dorado, afiligranado, tejido
Longitud de las correas: 71, 71 y 64 cm
Inventario: N° K–160; 8941 op

La rica colección de objetos de la Caballeriza Real muestra la diversidad de técnicas empleadas por los artesanos del Kremlin en la fabricación de arneses para los caballos reales. En épocas antiguas, los artífices notaron que ciertos metales maleables, como el oro y la plata, podían estirarse hasta formar un hilo muy delgado, con el cual se podía hacer un ornamento afiligranado. El arte de fabricar hilos de oro y plata era uno de los preferidos por los artífices rusos y ya era conocido en la Rusia del siglo IX. Desde entonces, a lo largo de los siglos, esta asombrosa propiedad de los metales nobles se aprovechó para fabricar objetos de orfebrería. Un ornamento sutil y delicado de fina filigrana (hilos lisos y retorcidos) cubre este petral creado en la segunda mitad del siglo

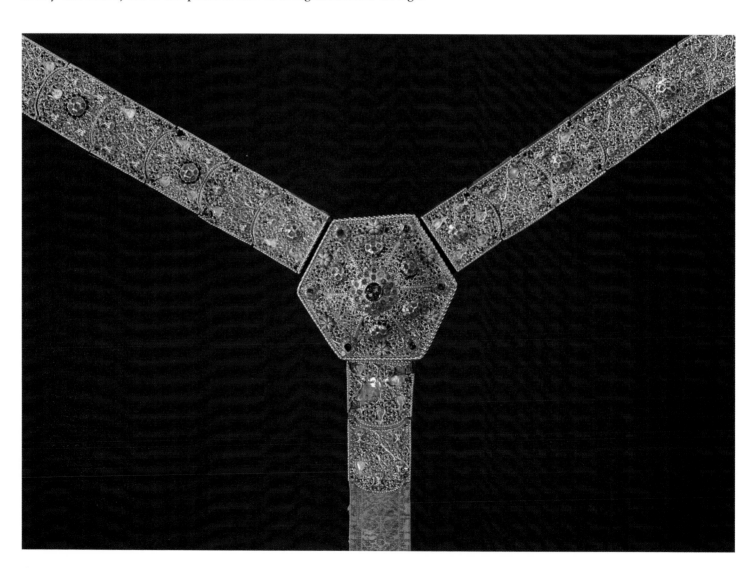

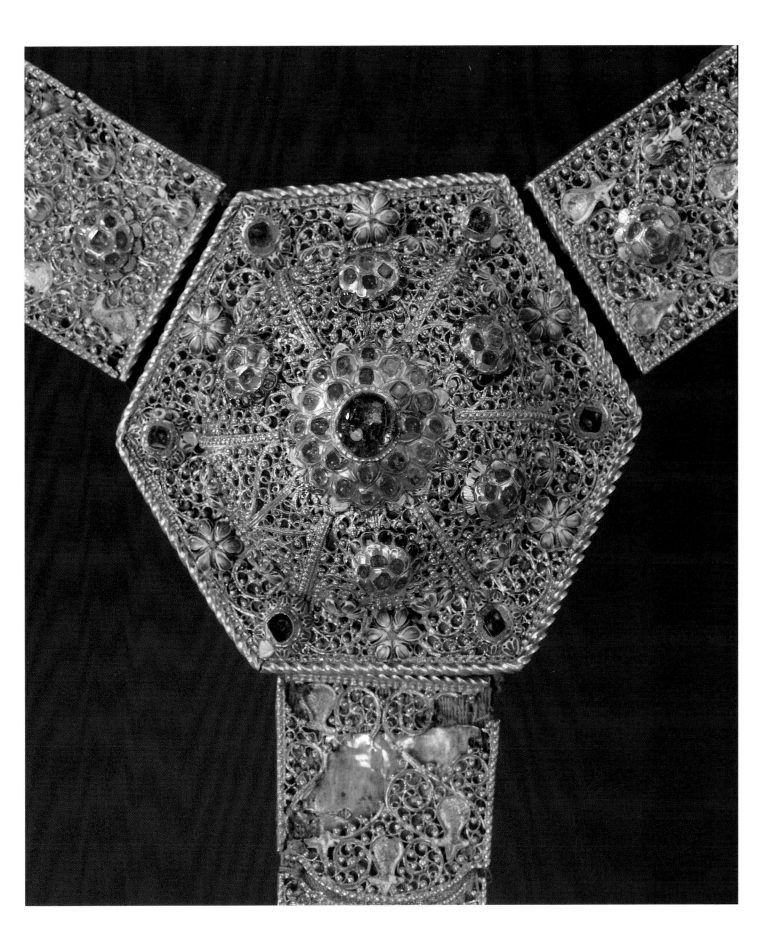

XVII. Representa un encaje de plata dorada en forma de tallos ondulados con ramas en espiral, todo ello granulado. En la decoración de los adornos aplicados y la placa pectoral se utilizan rosetones con esmalte verde oscuro y rubíes, así como claveles de seis pétalos y capullos hechos de granate, coloreados de bellos esmaltes de color blanco, rosa y azul marino. Grandes esmeraldas adornan el centro y los bordes de la placa pectoral hexagonal. El alto nivel artístico de su ejecución y diseño hacen que este petral figure entre las obras maestras de la orfebrería del Kremlin.

4   SILLA DE MONTAR

Moscú, taller de la Caballeriza Real del Kremlin. Segunda mitad del siglo XVII
Madera, terciopelo, plata, hilos de oro, cuero, tejido
Tallado, bordado, repujado, dorado
Longitud de la silla: 46 cm
Altura del arzón delantero: 26 cm
Altura del arzón trasero: 19 cm
Inventario: N° K−246; 8465 op

Los documentos archivados sobre la Armería, conservados desde el siglo XVII, nos permiten hacernos una idea sobre las actividades de los talleres de la Caballeriza Real del Kremlin de Moscú y determinar la composición étnica de los artífices que allí trabajaban. Eran oriundos de Rusia Central, de la región del Volga y de las zonas del Norte. Aparte de los rusos, en los talleres del Kremlin trabajaban artesanos de otras nacionalidades, incluidos ucranianos, bielorrusos, serbios, alemanes y otros. Los artífices llegados de otras tierras ejercían una cierta influencia sobre el arte de la capital. A su vez, ellos también quedaban fuertemente influenciados por la cultura artística rusa. Los mutuos y estrechos contactos que mantenían los artesanos contribuían a que los guarnicioneros y orfebres rusos pasaran a dominar las técnicas del arte oriental y euroccidental. Asimismo, tenía mucha importancia la importación de artículos extranjeros, incluidos los de origen oriental: persas, turcos y centroasiáticos. No obstante, aun conociendo las obras maestras del arte extranjero, el artífice ruso jamás las copiaba sino que las transformaba dando rienda suelta a su inspiración. Un ejemplo de ello lo constituye el adorno de esta silla de montar, datable de la segunda mitad del siglo XVII. El armazón y el asiento están revestidos de terciopelo liso color guinda, cubierto de bordados. En el ornamento de volutas y claveles de gran tamaño figuran imágenes de grifos como símbolos del Estado. La decoración se inspira en motivos orientales. Sin embargo, las bordadoras rusas han sabido asimilarlos y plasmarlos en un estilo peculiar. Estos adornos manifiestan una espontaneidad y libertad de estilo que revelan un magnífico dominio del arte del bordado. Se emplean elementos que dan especial realce y expresividad al ornamento. Esta silla puede considerarse no sólo como un aderezo de caballería, sino también como una admirable muestra del bordado de-

corativo ruso. Las técnicas del bordado son muy variadas. En cada caso
concreto se escogió la que podía producir el máximo efecto artístico,
peculiaridad patente en la decoración de la silla descrita. Esta posee una
estructura de refinada belleza, realzada por delicados bordes plateados
y dorados, adornados con pequeños motivos geométricos grabados.
Toda la obra maravilla por su aspecto solemne. La silla fue fabricada
"ex profeso" para los paseos públicos de los zares Alexey Mijailovich y
Feodoro Alexeievich, este último gran aficionado a los caballos y a sus
aderezos.

5   SILLA DE MONTAR

Moscú, taller de la Caballeriza Real del Kremlin. Segunda mitad del
siglo XVII
Artífices: M. Mijailov, A. Pavlov
Madera, plata, terciopelo, cuero, seda, cintas, hilos de oro
Nielado, repujado, tallado, dorado, bordado, tejido
Longitud de la silla: 46 cm
Altura del arzón delantero: 26 cm
Altura del arzón trasero: 22 cm
Inventario: Nº K–1086; 8472 op

En la segunda mitad del siglo XVII, los artífices de la Caballeriza Real
del Kremlin de Moscú comienzan a fabricar sillas de montar de reducido tamaño, con cojines fijados al asiento. El hecho de que en Rusia
surgiera este tipo de silla se debe a que los artesanos se habían familiari-
zado con este tipo de artículos y a los estrechos contactos que mantenían con los artesanos extranjeros que entonces trabajaban en Moscú.
Pero esta circunstancia no bastó para que los artesanos rusos adoptaran
mecánicamente las formas y estructuras de estas sillas. En Rusia adquirieron una forma peculiar que se manifiesta en un asiento poco profundo, con arzones bajos y anchos.
En aquella época, los artesanos utilizaban con frecuencia el nielado y la
talla en la decoración artística de las sillas de montar. Estas dos artes se
combinan de forma curiosa. Los ornamentos revelan las tendencias
realistas de los artífices que imitan la naturaleza, alejándose del carácter
convencional y abstracto de algunos ornamentos. Se adivina cierta
influencia del estilo "floral", tan divulgado en la platería euroccidental
de los años 50–70 del siglo XVII. En el desarrollo de la ornamentación
comienza una etapa típica del estilo barroco. En los temas vegetales
aparecen con mayor frecuencia motivos que tienden a representar aves
y cuadrúpedos. Estos se copian a menudo de los grabados. Una decoración semejante figura en esta silla que se conserva en la Armería.
Sobre una superficie rugosa, labrada en plata dorada, se extiende libre y
espontáneamente un ornamento en forma de volutas vegetales con
flores lozanas y grandes hojas, cubiertas de adornos florales nielados.
El dibujo es muy atractivo. En los arzones se halla tallado el escudo del
Estado ruso. Los botones que fijan el cojín al asiento son nielados y
tallados. No se descarta la posibilidad de que en aquella época los

autores de la silla fueran Andrej Pavlov y Miguel Mijailov. En los documentos de archivo se indica que en los años 70 del siglo XVII ambos artífices trabajaban en el taller de artesanía de la Caballeriza Real y realizaban labores en plata y adornos nielados para las sillas reales. El lugar y la época de la fabricación de la silla (segunda mitad del siglo XVII, taller de la Caballeriza Real) figuran en el Inventario de la Caballeriza Real de 1706. La figura del escudo del Estado ruso presente en ambos arzones de la silla es típica de la segunda mitad del siglo XVII. Es significativo que los guarnicioneros concibieran la idea general, el diseño y el montaje de las sillas. Los artífices más expertos solían dominar varios oficios. Fuentes escritas califican a veces a Miguel Mijailov y a Andrej Pavlov como orfebres de la guarnicionería. La silla está tapizada de terciopelo de un verde cálido, bordado en estilo vegetal. Aquí, igual que en otros géneros de las artes aplicadas, se observa una tendencia a llenar el espacio vacío con ricos adornos, siguiendo así el gusto estético ruso de la época. En la decoración de la silla se combina con acierto el singular talento de la bordadora y una perfecta labor de orfebrería. La silla figura entre los arneses de gala utilizados por el zar Alexey Mijailovich.

6 CABEZADA

Moscú, taller del Kremlin. Segunda mitad del siglo XVII
Oro, plata, piedras preciosas, cuero, cintas
Repujado, engastado, tejido
Longitud: 63 cm
Inventario: N° K–189; 8629 op

En el siglo XVII los joyeros moscovitas fabricaban, en grandes cantidades, arneses para engalanar la cabeza y el pecho de los caballos, destinados a las pomposas procesiones de la corte. Debido a esto, es natural que su fabricación corriera a cargo de los mejores artesanos.
Estos objetos eran, por regla general, piezas únicas en cuanto al diseño y a la decoración. A diferencia de los orfebres orientales y occidentales, los artesanos rusos utilizaban adornos fijados sobre correas estrechas. Siguiendo los gustos de la corte real, los artífices del Kremlin incluían en la decoración de sus objetos elementos fabricados en Estambul, o se inspiraban en los arneses orientales que los artífices rusos conocían bien a través de los artículos importados y, también, gracias a la colaboración entre los orfebres locales y los artífices orientales que venían a Moscú. Sin embargo, el conocimiento de las obras de arte extranjeras no implicó que las copiasen mecánicamente, puesto que en sus propias obras supieron conservar la originalidad nacional. En este sentido constituye un típico ejemplo la decoración de esta cabezada de la segunda mitad del siglo XVII, compuesta de aplicaciones rectangulares de oro, adornadas con flores multipétalos y rubíes. Los pendientes almendrados que forman parte de la decoración están adornados con rubíes y esmeraldas planas. Estas gemas rojas y verdes crean una fina armonía y realzan el efecto decorativo de la obra. El medallón cince-

lado que presenta la imagen heráldica del águila bicéfala imita un adorno oriental. La decoración de esta cabezada corresponde al gusto artístico de la época: estilo pomposo y profusión de adornos.

La decoración se inspira en motivos orientales. Sin embargo, el experto artífice ruso permaneció fiel a las formas, estructura, composición y realzación típicas de Moscú y, también, a su peculiar técnica de fijar las piedras preciosas.

Los expresivos adornos, la profusión del oro y el brillo de las gemas reflejan el uso específico de esta cabezada, que servía para adornar el caballo real en los desfiles de gran solemnidad.

7 PETRAL

Moscú, taller del Kremlin. Segunda mitad del siglo XVII
Oro, gemas, cobre, cuero, cintas
Repujado, engastado, tejido
Longitud de las correas: 77, 77 y 8 cm
Inventario: Nº K–149; 8629 op

La decoración del peto, es decir, el petral del caballo, hace juego con la cabezada y la baticola expuestas (cat. nᵒˢ 6,8). Las pequeñas aplicaciones de oro fijadas a una estrecha correa tienen un diseño muy acertado. Cada una de ellas está adornada con una flor repujada y un rubí de un rojo intenso. La pieza axial está labrada en relieve, parcialmente repujada y adornada con una esmeralda de gran tamaño. Este petral muestra la utilización acertada del oro y de gemas, cuyos destellos crean un rico y variado colorido, y dan a este aderezo una especial belleza. El petral, la cabezada y la baticola fueron fabricados por un equipo de artesanos cuyos nombres lamentablemente se desconocen.

8 BATICOLA

Moscú, taller del Kremlin. Segunda mitad del siglo XVII
Oro, gemas, plata, cuero, cobre
Repujado, engastado, tejido
Longitud de las correas: 113,5 cm
Inventario: Nº K–150; 8629 op

La baticola forma parte del juego compuesto por la cabezada y el petral
anteriormente descritos (cat. nºs 6, 7). En todas estas piezas los elementos decorativos son idénticos. La baticola posee dos franjas ornamentales con rubíes planos de un rojo intenso. Gracias a la viveza del color
de los rubíes, la decoración irradia optimismo y una especial expresividad. Aquí se refleja con singular fuerza el gusto artístico del artífice,
que logró crear un adorno bello y expresivo para engalanar la grupa y
la cola del caballo. Esta pieza de gran valor artístico se conserva en la
Caballeriza Real.

9 FRONTALERA

Moscú, taller del Kremlin. Segunda mitad del siglo XVII
Oro, plata, gemas, cobre
Repujado, esmaltado, dorado
Longitud: 11 cm
Anchura: 7,5 cm
Inventario: Nº K–106; 9007 op

La frontalera, es decir, el adorno que guarnece la frente del caballo,
siempre formaba parte del arnés de caballo. Consiste en una pieza
cóncava y calada, fijada a una cadenilla. Creadas por artífices dotados y
expertos, las frontaleras se adornaban con piedras preciosas y oro para
darles mayor realce. Las frontaleras hechas por los artesanos del Kremlin se distinguían por un especial lujo y belleza, debido al uso de
esmalte dorado. Se destacan por la finura de su forma, por la delicada
factura de sus motivos vegetales calados y la viveza de los colores verde
y azul del esmalte. Abundantes rubíes de un puro rojo vivo completan
la decoración de la pieza. Los rubíes están engastados en motivos en
forma de hojas y en el rosetón central. Las piedras acentúan con fuerza
la gama cromática de la pieza. La frontalera refleja claramente las tendencias artísticas de la segunda mitad del siglo XVII. Al mismo tiempo,
la decoración revela una cierta influencia oriental, pero los motivos
orientales están aquí transformados e interpretados por los orfebres
rusos.
Esta frontalera forma parte de las piezas utilizadas en las procesiones
solemnes de los zares Alexey y Feodoro.

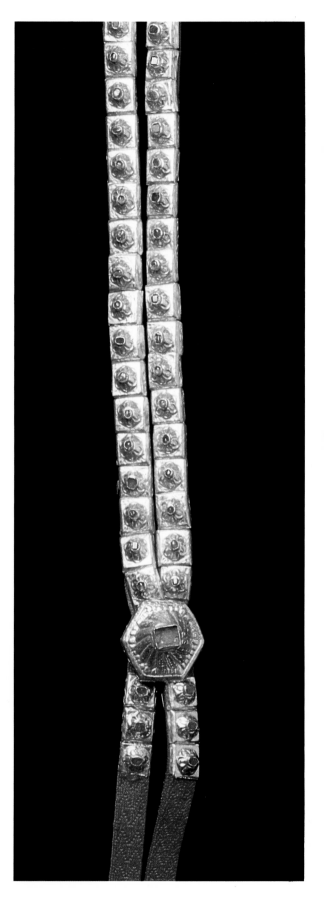

Moscú, taller del Kremlin. Segunda mitad del siglo XVII
Plata, oro, gemas, madreperla
Grabado, dorado, nielado, engastado
Longitud: 14,5 cm
Anchura: 12 cm
Inventario: Nº K−108; 3345 op

La colección de aderezos de caballería que se conserva en los Museos del Kremlin consta de cincuenta frontaleras. Igual que otros muchos objetos de la colección, éstas formaban parte de la Caballeriza del zar Alexey y fueron fabricadas por artífices del Kremlin durante la segunda mitad del siglo XVII. Las frontaleras presentan una gran variedad de formas y ornamentos y tienen excelentes calidades artísticas. Una de estas piezas figura en la exposición, destacándose por la belleza de su factura y su magnífica ornamentación. Es de plata dorada, grabada con tallos, hojas, capullos de flores estilizados y un ornamento geométrico que circunda el borde y el engaste central oval de madreperla. En la fabricación de esta frontalera, los artífices emplearon una técnica rara y complicada para decorar la madreperla, materia sumamente frágil. La delgada chapa de nácar está incrustada de oro y decorada con motivos vegetales nielados y piedras preciosas. Los orfebres rusos siempre se sentían atraídos por la belleza de las piedras preciosas, que reflejan la variada gama cromática de la naturaleza. Antes del siglo XVII, en Rusia no se extraían piedras preciosas. Las traían mercaderes de los países de Occidente y Oriente.

11 PAR DE ESTRIBOS

Moscú, taller del Kremlin. Siglo XVII
Hierro, oro
Forjado
Altura: 16 cm
Inventario: Nº K−109/1−2; 8450 op

En la vida de la corte real de los siglos XVI−XVII se empleaban estribos rusos de dos tipos: los que tenían brazos encorvados que se estrechaban hacia arriba, y los campaniformes o en forma de arco, con brazos estrechos y rejilla redonda. En la fabricación y ornamentación de estos artículos, los artífices del Kremlin empleaban diversos métodos técnicos y artísticos. Poseían una inagotable reserva de motivos ornamentales. En dicho contexto, ofrecen gran interés estos estribos campaniformes de hierro con rejilla ancha para el pie. Su decoración a base de motivos vegetales se adapta perfectamente a la forma y líneas suaves de sus brazos. Estos estribos son ejemplares típicos de los arreos del siglo XVII.

12 LATIGO

Moscú, taller de la Caballeriza Real del Kremlin. Mediados del
siglo XVII
Madera, plata, terciopelo, seda, hilos de oro
Repujado, dorado, cosido
Longitud total: 61 cm
Longitud del mango: 30 cm
Inventario: Nº K–962; 9158 op

El látigo es un objeto importante en el manejo de los caballos. Libros
especializados contienen datos sobre la aparición de los látigos y fustas
hace cerca de cinco mil años. El látigo consta del mango y de la cuerda
hecha de cintas, hilos entrelazados o correas de cuero. En los inventarios de la Caballeriza Real se hace mención de látigos fabricados en el
siglo XVII en el taller del Kremlin de Moscú o traídos de otros países,
principalmente de Oriente. Ya en el siglo XVI, los jinetes rusos empleaban látigos. El diplomático austríaco S. Herberstein, que, a comienzos
del siglo XVI, presenció en múltiples ocasiones las recepciones solemnes de embajadores, desfiles de tropas y otras ceremonias estatales en
presencia del monarca, notó que los jinetes rusos casi no usaban las
espuelas sino que, en su mayoría, empleaban el látigo que "siempre
pendía del meñique de la diestra". Los látigos rusos, maravillosamente
adornados, siempre suscitaban la admiración de los extranjeros que
visitaban Rusia. Para adornar estos objetos, los artesanos del Kremlin
empleaban metales nobles labrados de diversas maneras, gemas, perlas
y bordados de oro.
Causa admiración la decoración de este látigo que aparece mencionado
en los documentos antiguos como fabricado a mediados del siglo XVII
en Moscú. El mango es de madera forrada con terciopelo carmesí,
galoneado de oro. A ambos extremos, se hallan conteras o remates
redondos de plata dorada con estrías cinceladas. La cuerda está adornada con hilos de oro, que crean nudos geométricos, y, también, con
borlas de hilos de seda y oro. La decoración manifiesta un gusto extre-
mado por la profusión ornamental. Este látigo formaba parte de la
Caballeriza Real.

13 LATIGO

Moscú, taller del Kremlin. Siglo XVII
Jade, plata, turquesas, cintas, perlas
Grabado, dorado, incrustado, cosido
Longitud total: 77 cm
Longitud del mango: 28 cm
Inventario: Nº K–99; 9155 op

La Armería posee en su colección magníficos ejemplares de látigos del
siglo XVII, cuyos mangos están fabricados con metales nobles y materiales preciosos y raros. Hay látigos hechos con maderas raras, engastados en plata dorada, y los hay también de marfil. Muy bellos son los

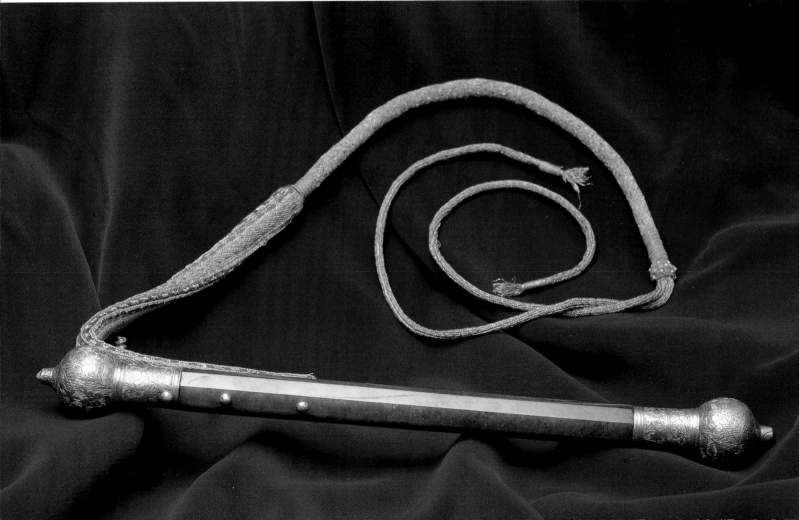

látigos cuyos mangos están hechos de piedras semipreciosas: cristal de roca, jade y jaspe de diversos matices. En este contexto, es digno de interés este látigo, cuyo mango es de jade pulido y facetado de color verde oscuro y moteado de oro. Las conteras o remates del mango son de plata dorada, grabada con motivos vegetales, y turquesa ornamental. La cuerda es de cinta ancha, engalanada con una bola y perlas ensartadas. Este látigo, realizado por talentosos plateros de la Armería del Kremlin, pertenece al grupo de las obras raras existentes de las artes decorativas rusas del siglo XVII.

14   PENDIENTE DE AHOGADERO

Moscú, taller del Kremlin. Siglo XVII
Plata, hilos de oro, vidrio
Fundido, dorado, engastado
Longitud: 72 cm
Inventario: Nº K–1084; 8998 op

En el inventario de la Caballeriza Real de 1706, que se conserva en el Archivo, se hace mención de un gran número de pendientes de ahogadero, fabricados por artífices rusos y orientales del siglo XVII. Entre ellos, se destaca por su forma peculiar y diseño este pendiente hecho en los talleres del Kremlin de Moscú. Ninguna pieza así figura en otro museo de nuestro país. Se compone de un gran águila bicéfala, heráldica, de plata dorada, en cuya superficie se hallan engastadas gemas redondas de gran tamaño, y de una serie de borlas de oro, fijadas en varias hileras. Dicha escultura está ejecutada con gran maestría y, gracias a sus cualidades decorativas, se ve desde lejos. Este jaez se distingue por su majestuosa belleza. Se empleaba durante las procesiones solemnes con la participación del zar.

15 PENDIENTE DE AHOGADERO

Moscú, taller de la Caballeriza Real del Kremlin. Siglo XVII
Plata, madera, hilos de oro
Repujado, grabado
Inventario: Nº K–685; 9000 op

Los pendientes de ahogadero son adornos que pendían debajo del cuello del caballo y se empleaban ampliamente en los arneses. En la época pagana, se ponían estos pendientes a los animales como amuletos y, en los siglos XVI–XVII, se utilizaban para engalanar los caballos. En los talleres de la Caballeriza Real había artesanos especializados en su fabricación. Los más expertos dominaban varios oficios y trabajaban también como plateros, creando bellos engastes para los pendientes. Muy a menudo, los artífices del taller de platería hacían engastes de metales nobles, ricamente decorados con filigranas. Las costureras de la Cámara de la Zarina hacían encajes a base de hilos de oro y perlas, utilizando los ornamentos disponibles. La maestría adquirida se manifiesta de manera especial en la decoración de este pendiente de la segunda mitad del siglo XVII. La tupida borla de hilos de plata y oro está fijada a una cúpula de plata labrada, adornada con relieves repujados. Un complicado ornamento de motivos vegetales, que se combina caprichosamente con otro romboidal, cubre la superficie esférica y su contorno. Aquí, las superficies doradas resaltan sobre el brillante fondo plateado. La decoración manifiesta una cierta influencia del arte euroccidental y el rico ornamento en relieve se inspira en obras creadas por los artífices alemanes de Nuremberg.

16 CADENA TINTINEANTE

Moscú, taller del Kremlin. Mediados del siglo XVII
Plata
Doradura, repujado, tallado
Longitud: 160 y 270 cm
Inventario: Nº K–272; 9068 op

Entre los distintos aderezos de caballo se destacan las cadenas tintineantes de plata. Pendían del arzón delantero sobre los costados del caballo e iban paralelas a la silla. Al más leve movimiento del caballo, las cadenas producían un tintineo argentado, que llamaba la atención de todos los extranjeros que visitaban Rusia en el siglo XVII. Las cadenas producían un efecto sonoro durante las manifestaciones de representación que, de hecho, constituían las procesiones reales en los siglos XVI–XVII. Adornos de este tipo solían componerse de eslabones de diversa forma y de grandes bolas que contenían cascabeles. Ofrece gran interés esta cadena compuesta de eslabones retorcidos de plata, dorados, y grandes bolas. Los eslabones están labrados con motivos vegetales, y las bolas, con un ornamento calado. Las diferentes técnicas de tratar y decorar los metales nobles permitió a los plateros rusos combinarlas para poder plasmar libremente sus ideas creadoras.

Esta cadena fue fabricada en los talleres de la Caballeriza Real del Kremlin de Moscú, a mediados del siglo XVII.

17   CADENA DE RIENDA

Moscú, taller del Kremlin. Segunda mitad del siglo XVII
Artífice: Pantelei Massalitin (?)
Plata
Repujado, dorado
Longitud: 242 cm
Inventario: Nº K–1151/4; 9062 op

En la pomposa decoración de los arneses de caballo usados por los monarcas rusos se utilizaban profusamente cadenas que se suspendían a lo largo de las riendas e iban hasta el arzón delantero de la silla.
Ya en el siglo XVI los caballos reales eran adornados con estas cadenas. Se sabe, por ejemplo, que por orden especial de Boris Godunov se fabricaron cadenas de rienda en Lübeck, en el taller del maestro Kaspar Kron; de ello dan fe testimonios gráficos de la época. Señalemos el caso del famoso Cañón-Zar, fundido en 1586 y actualmente conservado en el Kremlin de Moscú, que tiene la imagen en relieve del zar Feodoro Ioanovich, montado a caballo. Dicho caballo está adornado con cadenas que pasan a lo largo de las riendas. Artífices especializados fabricaban estas cadenas de rienda en la Caballeriza Real y en la Cámara de Platería del Kremlin de Moscú. Entre las obras del siglo XVII merece atención esta cadena compuesta de grandes eslabones de plata dorada. Los eslabones están labrados en relieve con follajes de trifolios repujados. A pesar de que estos motivos son fundamentalmente parecidos, el ornamento de cada eslabón se distingue del de los demás. Se supone que esta cadena es obra del platero del Kremlin, Pantelei Massalitin. El artífice Massalitin, según consta en los documentos de archivo, fabricó durante casi dos años cadenas de rienda, mientras se preparaba la recepción en Moscú del embajador inglés Charles Howard, conde de Carlisle, que llegó a Moscú en 1663.

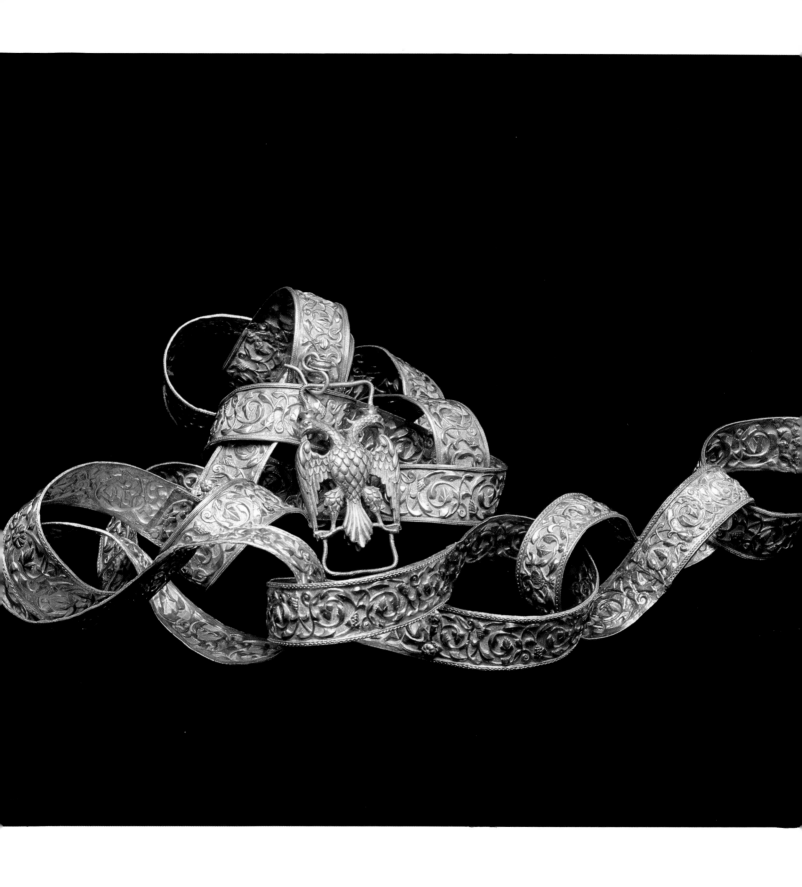

Moscú, Cámara de Platería del Kremlin. 1680
Plata
Repujado, dorado
Altura: 8,5 cm
Inventario: Nº K–111, 112; 8810 op

En los siglos XVI–XVII, las rodilleras servían únicamente para adornar los arreos de caballo de la corte del zar. Se ponían en las piernas como brazaletes, un poco más arriba de la articulación. Para proteger las piernas de los caballos contra la fricción, siempre estaban acolchadas por dentro. La fabricación de las rodilleras estaba a cargo de los plateros, quienes concebían y realizaban la decoración. Las rodilleras se hacían en forma de brazaletes de plata y, a veces, de oro. Estaban decoradas con ornamentos de filigrana, placas grabadas de plata y otros elementos decorativos.

Presenta un singular interés este par de rodilleras creadas en el estilo tradicional de los orfebres del Kremlin de Moscú. Un ornamento vegetal repujado con ramas y menudos trifolios se extiende uniformemente sobre el fondo granulado de la superficie. El suave movimiento en espiral de dicho ornamento obedece a un ritmo determinado y concuerda admirablemente con la forma esférica de ambas rodilleras. Según los datos de los documentos archivados de la Armería, estas rodilleras fueron hechas en 1680, probablemente por artífices de la Cámara de Platería del Kremlin de Moscú. En aquellos tiempos, por orden del zar Feodoro Alexeievich, fueron fabricadas cientos de rodilleras de plata con ornamentos repujados.

Moscú, taller del Kremlin. Siglo XVII
Terciopelo de Gdansk (?). Siglo XVII
Tejido de seda: Italia. Siglo XVII
Terciopelo, seda, hilos de oro y seda, galones
Tejido, cosido, bordado
Inventario: Nº TK–2617; 3637 op

En el siglo XVII, la indumentaria más usada en Rusia era el kaftán, usado tanto por hombres como por mujeres. En la corte real, según el tejido empleado, la presencia de ciertos adornos y el tipo de corte, los kaftanes eran de uso cotidiano o de gala, domésticos o para salir, largos y cortos. También había kaftanes de montar. Este tipo de kaftán es el que se expone en la presente exposición. Tiene cuello alto y se abotona en el hombro y en el costado; la parte inferior cae libre, con faldones anchos, y tiene numerosos pliegues en la cintura; las mangas cosidas son largas, anchas por arriba y estrechas por abajo, terminando en largos puños estrechos. Este kaftán es de terciopelo color guinda. En el pecho y la espalda están bordados en oro águilas bicéfalas en relieve. El faldón está forrado con felpa que imita una piel fina. Es probable que kaftanes de este tipo sirvieran de uniforme para otras personas que servían al zar durante las procesiones.

En la descripción del viaje del zar Feodoro Alexeievich al monasterio de San Sergio y Santa Trinidad, en 1680, se menciona que los guardias reales iban vestidos con kaftanes adornados con galones bordados en oro y plata, mientras que las demás personas de la Caballeriza Real llevaban kaftanes parecidos, por su corte y adornos, a la vestimenta del montero.

21 GUANTE DE CETRERO

Rusia. Siglo XVII
Tejido: Turquía. Siglo XVII
Hierro, brocado, seda, hilo de oro
Cosido, forjado, remachado
Longitud: 55 cm
Inventario: Nº OR–4146; 5025 op

Guante de brocado y seda púrpura acolchada, bordado con hilos de oro. En el interior del guante hay un tejido de mallas.

El cetrero se calzaba el guante, sobre el cual se posaba un ave de cetrería: halcón o águila. El tejido de mallas protegía la mano de las garras del ave. El guante para la caza real se hacía de ricos tejidos: brocado y seda.

En los museos de la Unión Soviética no se han conservado objetos parecidos.

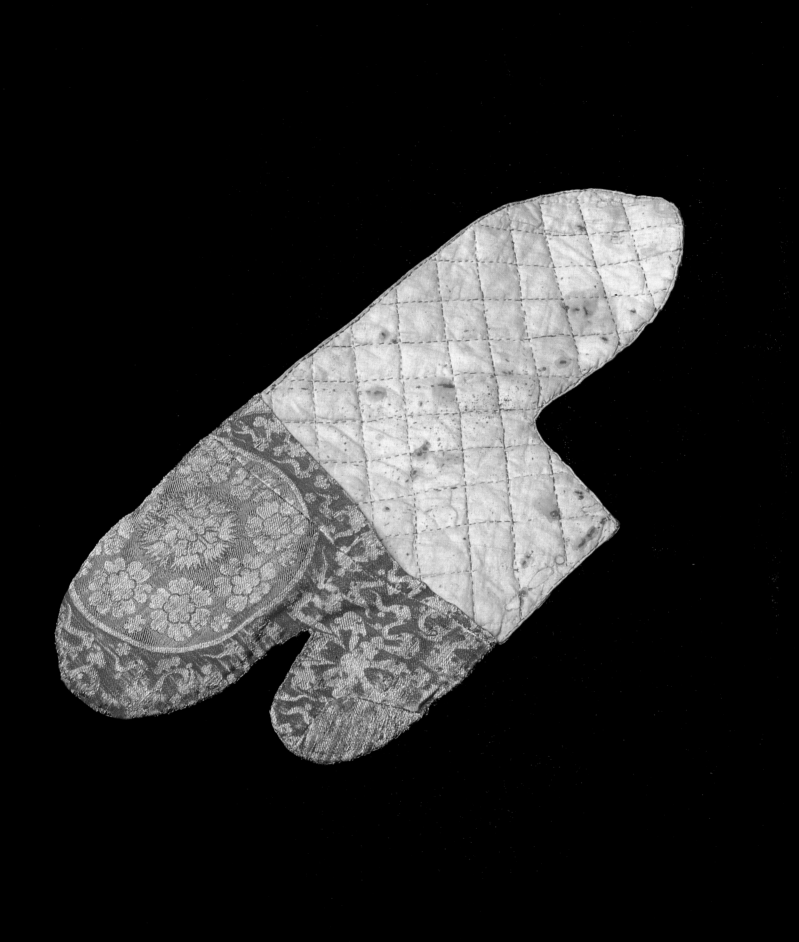

Rusia. Siglo XVII
Cuero, plata, oro
Cosido, dorado, repujado, nielado
Longitud: 58 cm
Inventario: Nº OR–4483; 3716 op

Funda de cordobán en forma de bolso abierto longitudinalmente, y cerrado mediante una correa que atraviesa unas abrazaderas. Esta funda está bordada con hilos de plata y oro.
Perteneció al zar Alexey Mijailovich, que lo utilizaba para guardar sus cotas de mallas durante las campañas militares o los largos viajes.
Esta funda es una pieza rarísima del siglo XVII. Las colecciones de los museos de la Unión Soviética carecen de objetos parecidos.

23 TIMBAL Y BAQUETA

Moscú, taller de la Caballeriza Real del Kremlin. Siglo XVII
Cobre, hierro, cuero, terciopelo
Forjado, fundido, pintado
Altura: 13,5 cm
Inventario: N° OR–1353/1–2; 9185 op

En los siglos XVI–XVII, en el ritual de la caza real, se daba gran importancia a los efectos sonoros. De aquí que se empleasen toda clase de caramillos, cuernos y trompetas.

El principal instrumento fue el timbal, que anunciaba el comienzo o el término de la cacería. El timbal y la baqueta presentados en esta exposición son objetos raros. El cuerpo esférico del timbal está cubierto por encima de piel. La piel aún conserva la imagen del águila bicéfala coronada y sellos con ornamentos vegetales. El mango de madera de la baqueta está forrado de terciopelo claro.

La representación del águila bicéfala sobre el timbal indica su pertenencia a la Armería Real.

Turquía (?), taller del Kremlin de Moscú (?). Segunda mitad del siglo XVII
Oro, plata, gemas, cuero
Tallado, repujado, esmaltado, tejido
Longitud de las correas: 48, 48 y 28 cm
Inventario: Nº K–412; 8622 op

Durante todo el siglo XVII, los rusos se maravillaban de la belleza de los arneses turcos. Quizás por eso, en los talleres del Kremlin se emplearon mucho los broches de oro turcos o los adornos aplicados en la decoración de los arreos de caballería. Estas aplicaciones se utilizaban también para decorar las armas y los vestidos de los zares, cortesanos de alto rango y dignatarios religiosos. Los gustos estéticos de los monarcas rusos y de sus cortesanos, especialmente en la segunda mitad del siglo, concordaban perfectamente con los ricos y bellos ornamentos de fabricación turca. Precisamente en esa época, los orfebres del Kremlin comenzaron a fabricar por cuenta propia costosos arneses basados en ejemplares turcos y decorados a base de motivos orientales. Desgraciadamente, los artífices rusos firmaban raramente sus creaciones. Sin embargo, en ciertos casos, la comparación de las obras conservadas y de las fuentes documentales de la época permite hoy determinar no sólo su paternidad, sino también el lugar de su fabricación. Entre los arneses de caballo de la segunda mitad del siglo XVII se distingue este petral por su lujosa presentación y su elevado nivel artístico. Su decoración refleja vivamente la estética de la época: tendencia a una mayor riqueza cromática y empleo de motivos tradicionales de gusto oriental. El petral está adornado con grandes aplicaciones rectangulares de oro, fijadas a una cinta con cuero. Para decorar los adornos, los artífices aplicaban el esmalte sobre un ornamento ranurado. Los delgados tallos con hojas están cubiertos de esmalte blanco y verde, que a trechos se transforma en azul. Junto al motivo esmaltado hay elementos dorados en forma de granada, en fase de germinación, que hacen juego con el color intenso del esmalte. La presentación artística del petral concluye en un medallón de oro de gran tamaño, que evoca una flor abierta. Este medallón también está adornado con esmalte, esmeralda y brillantes rubíes. Se guardaba en la Caballeriza Real y su origen continúa siendo desconocido.

ARNESES DE CABALLERÍA ORIENTALES

25–26   BRIDA, PETRAL

Crimea. Principios del siglo XVII
Oro, plata, seda, gemas
Dorado, esmaltado, tejido
Inventario: Nº K–88–89; 8631 op

Según los documentos de archivo referentes a la Armería, que datan del siglo XVII, en la Caballeriza Real del siglo XVI y comienzos del XVII había sillas de montar de Crimea, en cuya decoración se empleó pintura polícroma, así como juegos de guarnición con cabezadas y petrales de caballo.

Las bridas, petrales y baticolas de Crimea eran diseñados como los rusos, pero artísticamente se distinguían mucho de los objetos fabricados en los talleres del Kremlin de Moscú. La brida y el petral presentados aquí se trajeron de Crimea a comienzos del siglo XVII. Están hechos con correas estrechas y adornados con numerosas aplicaciones de oro en forma de flores multipétalos con mosaico azul de esmalte y turquesas. La decoración incluye esmalte negro y turquesas de gran tamaño, que pueden verse en las placas de la frontalera y del petral. La brida y el petral tienen adornos idénticos y, por consiguiente, forman parte de un mismo conjunto.

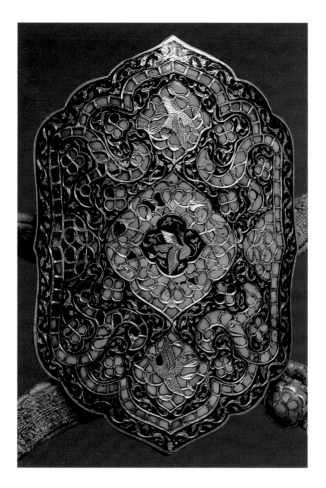

Turquía, Estambul. Segunda mitad del siglo XVII
Plata, cuero, turquesa
Dorado, tallado
Longitud de correas: 66, 66 y 61 cm
Inventario: Nº K–300; 8768 op

Algunas de las mercancías más importantes, importadas por el Estado ruso en el siglo XVII, eran los tejidos y arneses turcos. Los embajadores turcos traían como regalos arneses de gran valor. Los mercaderes extranjeros, que venían con las embajadas, daban estos regalos al monarca ruso y, a cambio, recibían una compensación en metálico o en pieles finas. Por regla general, se traían juegos enteros de costosos arneses. Todo esto consta en documentos de archivo y en escritos de la época. Se sabe, por ejemplo, que el mercader griego Dimitri Ostafiev regaló en 1654 al zar Alexey Mijailovich una costosa cabezada con petral. Este juego estaba compuesto de la cabezada (cat. nº 34) y de este petral de la segunda mitad del siglo XVII. Ambos objetos tienen una decoración idéntica. Los artífices turcos, con el fin de causar mayor impresión (el petral figuraba entre los regalos del embajador), utilizaron en su decoración grandes piezas de plata dorada mate. El ornamento grabado, ejecutado con gran maestría, se extiende a todas las piezas, incluido el medallón pectoral. Las finas volutas forman una sobria decoración. En las piezas ornamentales están dispuestas uniformemente turquesas de color azul claro. Gracias a la intensidad del colorido, en la gama cromática del petral prevalece el azul claro que da una especial belleza a la obra.
Todo parece indicar que este petral fue hecho en algún taller de Estambul. Los rasgos estilísticos del objeto son bastante expresivos. La decoración de los arneses turcos es tan peculiar que resulta fácil distinguirlos de cualquier otro ejemplar.

28–30 CABEZADA, PETRAL, BATICOLA

Turquía. Primer cuarto del siglo XVII
Oro, plata, gemas, cuero, cintas
Tallado, repujado, nielado, dorado, tejido
Longitud de la cabezada: 58 cm
Longitud del petral: 62, 62 y 15 cm
Longitud de la baticola: 115 cm
Inventario: Nᵒˢ K–283, 284, 285; 8621 op

Los arreos de caballería turcos eran tan apreciados en todo el mundo que, como testimonian antiguos documentos y escritos de la época, a menudo formaban parte de los regalos efectuados por los embajadores de diversos países. Como prueba de ello puede servir este juego de aderezos de caballo compuesto de cabezada, petral y baticola, confeccionado en Turquía en el primer cuarto del siglo XVII. Dichos aderezos fueron traídos a Rusia en 1625 por el embajador iraní Rusanbek y regalados al zar Miguel Feodorovich.

La decoración de estas piezas refleja las tendencias estilísticas de las artes aplicadas turcas de la primera mitad del siglo XVII, así como el delicado gusto del artífice y su perfecto dominio de las diversas técnicas ornamentales. Las tres piezas están idénticamente decoradas. Las correas, hechas de cintas doradas, tienen a intervalos chapas de oro engastadas de gemas raras: peridotos verdes de gran tamaño. Dichas chapas están adornadas con finos motivos florales y vegetales nielados. El niel se destaca por su color intenso de matiz aterciopelado. El fuerte contraste entre el oro y el ornamento nielado causa un efecto extraordinario. La perfecta ejecución, la precisión y la belleza del dibujo hacen que estos aderezos sean considerados obras de arte de primera orden.

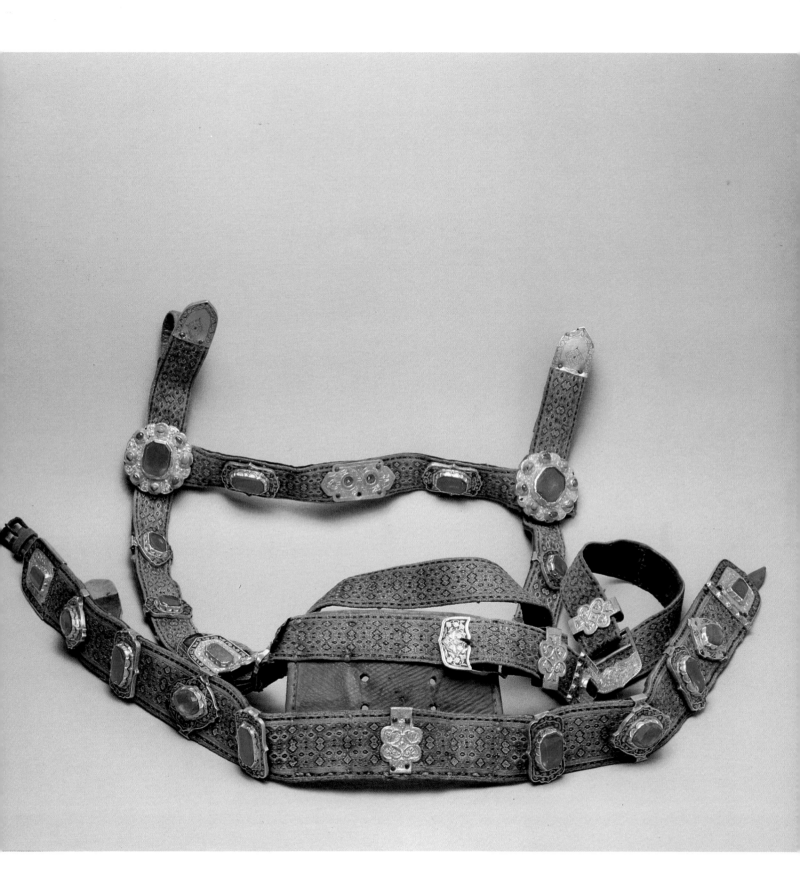

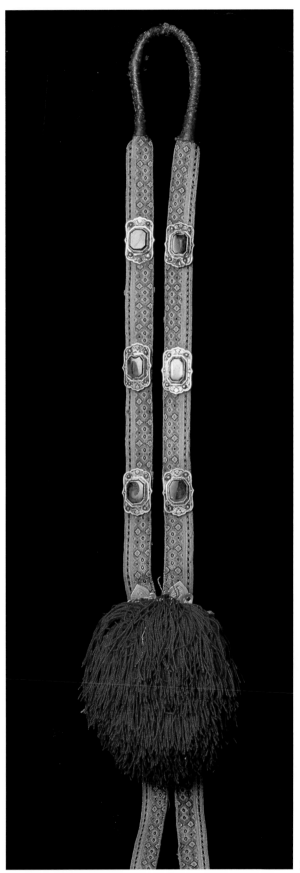

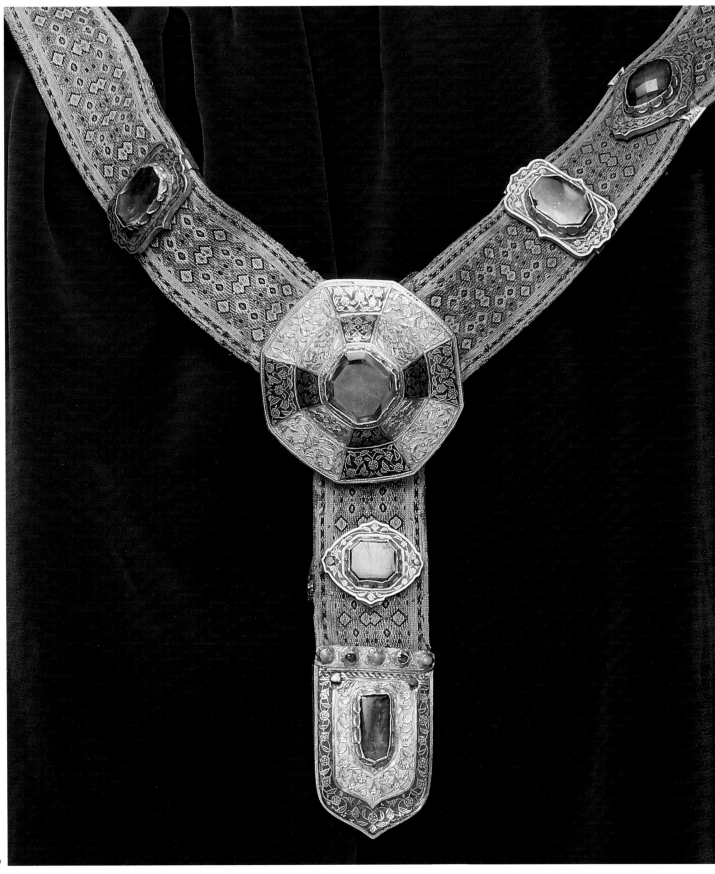

31   SILLA DE MONTAR

Turquía. Primera mitad del siglo XVII
Madera, plata, terciopelo
Bordado, tejido
Longitud: 56 cm
Inventario: N° K–751; 8584 op

De refinada belleza y perfecta ejecución es esta silla turca de la primera mitad del siglo XVII, fabricada en una época artísticamente floreciente de dicho país. Desde finales del siglo XV la cultura de Turquía se veía influenciada por las artes de los pueblos que formaban parte del Imperio otomano. La asimilación de la cultura artística de estos pueblos y el desarrollo del arte turco trajeron como consecuencia la creación de un único estilo decorativo, cuyos rasgos se manifestaron fuertemente en la artesanía que desde antiguas épocas se venía desarrollando en Asia Menor: la fabricación de arreos de caballería, armas y tejidos. En la decoración de las sillas de montar turcas, así como en otras piezas del arnés, el ornamento floral ocupa un lugar predominante. Entre los motivos más usados figura el tulipán, el clavel, la rosa, el jacinto y la flor del granado. La silla aquí expuesta muestra un cierto naturalismo en la representación de estas flores, que el artesano interpreta con un realismo que parece ser equilibrado por el hecho de cubrir minuciosamente de finos arabescos grandes superficies, una característica típica del arte turco. Esta manera de tratar los ornamentos y la combinación de un fondo claro, bordado de oro en juegos cromáticos contrastantes, contribuyen a que esta obra sobresalga por su ejecución peculiar. Las suaves formas de la silla se destacan gracias a la combinación armoniosa del terciopelo rojo que cubre el armazón y el brocado de oro que cubre sus faldones laterales.

Turquía, Estambul. Mediados del siglo XVII
Madera, plata, terciopelo, oro, gemas, cobre, cuero
Repujado, bordado, dorado, incrustado, tejido
Longitud de la silla: 42 cm
Altura del arzón delantero: 36 cm
Altura del arzón trasero: 32 cm
Inventario: Nº K–732; 8513 op

Los materiales empleados por los silleros turcos demuestran que poseían un refinado gusto artístico. Utilizando metales nobles, gemas, perlas, tejidos y cuero, lograban una combinación sumamente armoniosa, consiguiendo que un componente realzara la belleza del otro. Todo ello queda plasmado en la decoración de esta silla de montar de mediados del siglo XVII. La silla posee una rica gama de medios expresivos artísticos. Motivos vegetales en relieve cubren la totalidad de la superficie en plata dorada de ambos arzones. Entre los adornos se hallan turquesas de color azul claro. La decoración de la silla presenta, también, incrustaciones en la superficie pulida de jade, labor típica de los artífices turcos. Los finos ornamentos florales dorados de las chapas de jade, combinados con los rubíes rojos en engastes en forma de flor, confieren a la silla una especial belleza. Estas chapas labradas de oro y plata, con jades de diversos matices incrustados de oro, comenzaron a emplearse en la decoración de los arneses de caballería a partir de la primera mitad del siglo XVII. Un bordado de hilos de oro, hábilmente dispuesto en la silla, la embellece aún más y le confiere un mayor valor artístico. Este ornamento consta de composiciones y motivos aislados, que se adaptan a la forma del asiento y de los faldones. La decoración consta de unos claveles representados dentro de un sello ovalado, así como de composiciones de flores de granado. Este motivo se usaba con frecuencia en todas las artes turcas, no sólo en los siglos XVI–XVII, sino también en épocas anteriores. Lo encontramos, también, en la decoración de sables y puñales, alfombras de seda y jarrones de bronce incrustados con oro y plata. Las bellas proporciones y la estructura de la silla le confieren una especial belleza. Tiene arzones altos y la curva del asiento sigue una línea suave. En el siglo XVII, esta forma de silla era una de las más difundidas en Turquía. La silla se guardaba en la Caballeriza Real y se utilizaba para engalanar el caballo del zar hasta finales del siglo XVII.

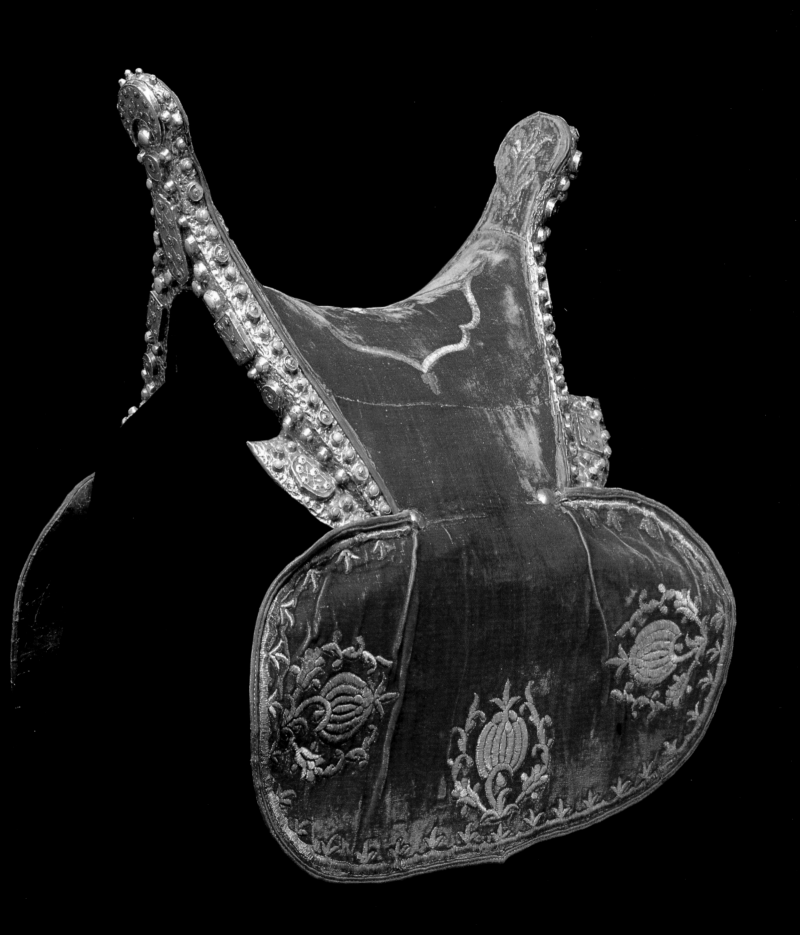

33 CABEZADA

Turquía, Estambul. Siglo VII
Oro, piedras preciosas, cinta
Incrustado, labrado, grabado, tejido
Inventario: N° K–1083; 8760 op

En los siglos XVI–XVII, los maestros turcos prestaban especial atención a los aderezos de gala de los caballos. Para la ornamentación de las cabezadas los artífices turcos solían utilizar gemas de diferentes tamaños y de formas extravagantes. Las adornaban también con delicados ornamentos de esmalte, grabados, nielado y piedras preciosas. Dichas piezas de gala de colores vivos, que tienen un valor artístico insuperable, se utilizaban en el pasado para adornar los arneses de gala en Rusia. Esta fastuosa cabezada, creada probablemente en los talleres de Estambul, es una de las obras sobresalientes del siglo XVII. Se compone de numerosas aplicaciones de oro, labradas como joyas, que se montan en las correas. Las piedras preciosas de vivos colores crean un singular resplandor pintoresco. El delicado ornamento grabado de dichas aplicaciones de oro está cubierto de esmaltes blancos y verdes muy intensos. El dibujo de esmalte se destaca por su elegancia y la nitidez de sus contornos y, al mismo tiempo, se combina gratamente con las doradas hojas labradas, adornadas con rubíes.

En la pieza frontal, que tiene forma de granada y está incrustada de rubíes y esmeraldas, hay también filetes ornamentales. Este juego de piedras crea una gama de colores tornasolados. En estas piezas se manifiesta el lujo de la corte.

Se cree que esta cabezada fue uno de los obsequios de las embajadas, traídos a Moscú en la segunda mitad del siglo XVII. Estaba destinada a adornar el caballo del zar durante las ceremonias más solemnes.

Turquía, Estambul (?). Segunda mitad del siglo XVII
Plata, piel, turquesas, hierro
Grabado, dorado, repujado
Longitud: 47 cm
Inventario: Nº K−983; 8768 op

En el siglo XVII, los maestros turcos solían utilizar para el adorno de la cabeza y de la pechera de los caballos no sólo oro y piedras preciosas, sino también plata, perlas, jade y turquesas. Aplicaban los métodos tradicionales de creación artística: el grabado, el repujado y la incrustación en oro. En la ornamentación de artículos similares, predominaban motivos típicos del arte decorativo turco medieval. Esta cabezada de la segunda mitad del siglo XVII muestra rasgos característicos del estilo nacional turco. Labrada con lujo y destinada a ser regalada, se compone de grandes láminas de plata dorada. Una hermosa composición con espirales y otros motivos grabados superficialmente adornan la frontalera. Esta misma labor se encuentra en el resto de los adornos aplicados.

La cabezada está adornada con turquesas de diferentes formas y colores. En los países del Este, se atribuía a esta piedra virtudes misteriosas. Las turquesas encajadas en altos engastes crean la base rítmica de la decoración y dan a la obra una especial expresividad y elegancia.

Probablemente, esta cabezada fue fabricada por los hábiles joyeros de Estambul. Según se indica en los antiguos inventarios, esta cabezada es uno de los regalos ofrecidos al zar ruso por embajadores turcos en la segunda mitad del siglo XVII. Se desconoce de qué embajada se trataba y parece ser que no todas ellas fueron mencionadas en los documentos de la época.

Turquía, Estambul. Mediados del siglo XVII.
Oro, plata, piedras preciosas
Repujado
Longitud: 14 cm
Inventario: N° K−1033; 9005 op

Estambul y Trapezund eran los centros joyeros más importantes de Turquía en el siglo XVII. De acuerdo con el testimonio del famoso diplomático turco Eblia Chelebi, hijo del deán de los joyeros, los artífices de Estambul eran considerados "magos". En los talleres de esta ciudad se creaban bellos adornos de gala para caballos, incluyendo frontaleras. Era allí donde la creación de tales piezas alcanzó su más alto nivel profesional. Por su fina calidad y elaboración, dichas piezas parecían joyas y, precisamente, eran concebidas y creadas por joyeros. Fabricadas en los talleres de Estambul, las frontaleras, tal y como otras piezas de adorno para caballos, conservaban, a pesar de sus diversidades formales, técnicas y artísticas, un estilo unitario. Las frontaleras del siglo XVII eran particularmente perfectas de formas y de gran expresividad. Esta frontalera de oro es bastante grande. Entre el brillo de los rubíes y esmeraldas se perfila un dibujo estilizado poco pronunciado, ejecutado con muy buen gusto y maestría. A partir de mediados del siglo XVI, las combinaciones de los colores verdes y rojos vivos fueron las predilectas de los pintores y maestros otomanos. Los grandes rubíes y esmeraldas, que confieren un acento llamativo de colores, constituyen el principal efecto decorativo de este famoso adorno para caballos.

Esta frontalera fue traída a Moscú como uno de los obsequios de las embajadas. Puede considerarse como un ejemplar muy raro del arte de la joyería turca del siglo XVII.

Turquía. Segunda mitad del siglo XVII
Plata, cinta
Grabado, dorado, nielado, tejido
Longitud: 16 cm
Inventario: Nº K–1089; 9044 op

En el siglo XVII, los orfebres turcos, que labraban el oro y la plata, tenían un gran gusto artístico y disponían de inagotables fuentes de motivos ornamentales. Esto les permitía realizar libre y fácilmente sus proyectos artísticos en el campo de los aderezos de caballo. Dichos adornos reflejaban brillantemente los rasgos característicos del arte turco.

Las frontaleras se creaban a base de metales preciosos, como el oro y la plata, piedras preciosas labradas y turquesas. A título de ilustración, sirva esta frontalera de plata dorada, fabricada en la segunda mitad del siglo XVII. Se compone de una lámina labrada de hermosa curva, y los adornos armonizan con la forma redonda de la pieza. Toda la superficie está cubierta de composiciones estilizadas de ramas con grandes hojas, claveles, tulipanes y granadas llenas de pequeñas hierbas nieladas. El adorno arabesco es denso y complicado, de forma que casi no se puede distinguir el fondo.

Los motivos se combinan según las pautas decorativas orientales, con tracería menuda inscrita en grandes formas ornamentales. En el florón, se halla una piedra semipreciosa verde. Posiblemente, esta frontalera sea una obra de la escuela de Estambul.

37   CAPARAZON

Turquía. Siglo XVII
Terciopelo, hilos de oro
Bordado, tejido
Dimensión: 155 x 55 cm
Inventario: Nº TK — 2623; 9106 op

Los caparazones fabricados por los maestros turcos se destacan por la variedad de sus dibujos y por su estructura. En aquella época, los caparazones valiosos y lustrosos se usaban en los arneses de gala destinados a los caballos de los representantes de la corte real rusa.

Este caparazón de terciopelo color guinda es un testimonio del buen gusto del maestro que lo confeccionó. Está suntuosamente bordado en hilo de oro con figuras de granadas. El bello bordado se destaca por la claridad de sus contornos, la flexibilidad y la extravagante interpretación de sus detalles. Una banda ornamental bordada con hilos de oro adorna el contorno del caparazón, subrayando las líneas principales y su bello corte.

Esta obra llegó a Rusia a través de mercaderes y, probablemente, fue vendida por el "comerciante griego Abrahán Rodionov en el año 1656".

Turquía. Tercer cuarto del siglo XVII
Plata, hierro, piedras preciosas
Dorado, grabado, incrustado
Altura: 16,5 cm
Inventario: N° K−407/ 1−2; 8732 op

En la segunda mitad del siglo XVII, los maestros turcos vinculados a la fabricación de los aderezos de gala para caballos seguían desarrollando en la decoración artística de sus obras el estilo de la primera mitad del siglo XVII, caracterizado por el uso de una gama de colores intensos. Alcanzaban sus aspiraciones estilísticas, ya sea por un perfecto dominio de los métodos artísticos y técnicos, por el toque sentimental de la decoración y de la gama de colores, o, al contrario, por medio de una simplicidad casi ingenua de la ornamentación.

Estos estribos de hierro plateado se destacan por su estilo singular y tienen forma de campana con base ancha para apoyar el pie.

La cara de la pieza en plata dorada está cubierta de un ornamento riguroso, pequeño y bastante primitivo, de motivos vegetales labrados en bajo relieve. Este dibujo difiere mucho del brillante adorno de la mayoría de las piezas turcas de esta categoría. Aquí mismo figura en el centro un engaste grabado con una turquesa, y, alrededor, grandes almandinas de color carmesí y turquesas azules en altos engastes dispuestos sin observar el dibujo ornamental.

El contraste de los colores de las piedras preciosas dan a los estribos un aspecto decorativo especial.

La forma de los estribos turcos del siglo XVII era muy original, pues representaban una campana. Los estribos tenían una base ancha para apoyar el pie, debido al peculiar modo de montar de los jinetes turcos.

Los documentos del archivo nos permiten correlacionar estos estribos con el zar ruso Alexey Mijailovich.

Irán. 1635
Oro, plata, piedras preciosas, piel
Labrado, grabado, afiligranado
Longitud: 60 cm
Inventario: N° K–1015; 8625 op

Los adornos de gala para caballos, fabricados por los artífices iraníes del siglo XVII, se destacan por la perfección de sus formas y por su excelente calidad, reflejando el alto nivel artístico de estos maestros.

Los orfebres trabajaban de diversas maneras los metales preciosos y creaban a base de piedras preciosas brillantes estribos y sillas, así como otras hermosas piezas destinadas a engalanar el pecho y la cabeza de los caballos. Un refinado lujo, una rica decoración y un peculiar carácter pintoresco son los rasgos típicos de estas piezas, que concordaban con el brillo y el lujo de los ceremoniosos desfiles de la corte rusa.

Esta cabezada, creada en el año 1635, constituye una verdadera obra de arte entre los adornos para caballos; se compone de un cinturón de piel de color rojo oscuro y está adornada con aplicaciones dotadas de florones de rubíes, turmalinas y turquesas. La frontalera de oro está adornada con motivos de plantas finamente labrados, grandes piedras preciosas y semipreciosas y otras más pequeñas, dispuestas en arabescos florales. El dibujo es bello y, a la vez, está ejecutado con soltura. Las grandes piedras preciosas están colocadas en altos engastes, que se amoldan a las formas naturales de las piedras.

Datos fundamentados permiten suponer que esta suntuosa cabezada es una creación de los diestros maestros que trabajaban en los talleres de la corte del sha de Isfahán ("carjane").

Se sabe que Isfahán era un centro de fabricación de objetos de lujo (incluyendo los valiosos aderezos de caballo) para la corte del sha y destinados a la exportación. Sabemos que esta cabezada fue traída a Rusia en 1635 por el embajador Andi-bek, como obsequio del sha Sefi al zar Miguel Feodorovich.

Irán. Comienzos del siglo XVII
Seda, hilos de oro
Bordado, tejido
Longitud: 161 cm
Anchura: 145 cm
Inventario: Nº TK–606; 8967 op

En la Armería existe una colección de extraordinarios caparazones iraníes de gran valor, que se destacan por su carácter pintoresco, la variedad de sus elementos decorativos y la configuración de los dibujos. En aquella época, el caparazón se solía utilizar con frecuencia en Rusia para decorar los arneses de gala, y contribuía a crear el ambiente festivo y refinado de la corte rusa. Algunos de ellos están hechos de una bella tela de armónica gama de colores, tejidos con pequeñas hierbas, animales, pájaros y figuras humanas, y, también, adornadas con encaje de plata y una ancha franja de hilos de oro. Otros son ejemplares singulares del arte del bordado decorativo. Estas labores de los maestros iraníes se apreciaban mucho y se consideraban obras de arte en los siglos XVI - XVII. Así, por ejemplo, el viajero francés Juan Sharden subrayó, durante su visita al Irán, que los persas eran los mejores en el arte del bordado y que se destacaban, sobre todo, por los trabajos realizados con hilos de oro y plata "en tela, en seda y en piel".

Los caparazones se solían confeccionar en los talleres cortesanos del sha y, en general, estaban destinados a ser regalados a los monarcas y a la nobleza; por ende, eran fabricados por los mejores maestros de la época. Debido al prestigio de Rusia, los gobernadores iraníes seleccionaban detenidamente los obsequios destinados a agasajar a la corte de Moscú, actitud que se manifiesta en los caparazones de la colección. Cabe recalcar que no sólo se tenía en cuenta el valor del material, sino también la singularidad de la pieza, la perfección del trabajo e incluso la moda.

Este caparazón, confeccionado a comienzos del siglo XVII, se destaca por el buen gusto de su creador. Es de una tela muy parecida al brocado, ya que toda la superficie está bordada con hilos de oro. El juego de luz y sombra obtenido da al bordado una vivacidad que salta a la vista. Este caparazón se hizo para adornar el caballo del zar durante las ceremonias solemnes. El caparazón lleva bordado el águila bicéfala coronada, el león de San Marcos y el escudo de armas de la República de Venecia. La presencia del escudo de armas del Estado ruso indica que este caparazón fue encargado por Venecia para regalarlo a la corte rusa.

China. Segunda mitad del siglo XVII
Bronce, madera, nácar, terciopelo
Dorado, incrustado, tejido
Longitud total: 62 cm
Altura del arzón: 16 cm
Altura de la perilla: 26 cm
Inventario: N° K–71; 8598 op

A finales del siglo XVII fueron reanudadas las relaciones diplomáticas entre Rusia y China, a pesar de que el gobierno ruso deseaba desde mucho antes mantener relaciones amistosas con este país. Entre 1675 y 1678, fue enviada a China la primera delegación rusa, bajo la dirección de Nicolay Gabrilovich Spafari. Las piezas chinas para engalanar los caballos que figuran en la Armería son un testimonio del favorable curso de las negociaciones de paz que mantuvo Spafari con el emperador chino Kan–Si. De los documentos del archivo se desprende que Spafari compró valiosas piezas chinas para agasajar al zar Feodoro Alexeievich. Se trataba de vajilla, satén, té, pieles de nutria de mar y de tigre. Los obsequios de la embajada son interesantes por su naturaleza y constaban de preciosos caparazones, estribos y sillas de altísimo nivel artístico, del segundo y tercer cuarto del siglo XVII. La perfección de sus formas, estructuras y brillante decoración permiten suponer que existía un único centro de fabricación , a saber, los "talleres especiales del Estado" de Nankín o Pekín, los centros más importantes de China.

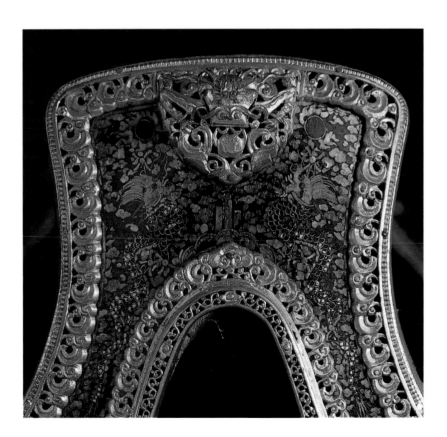

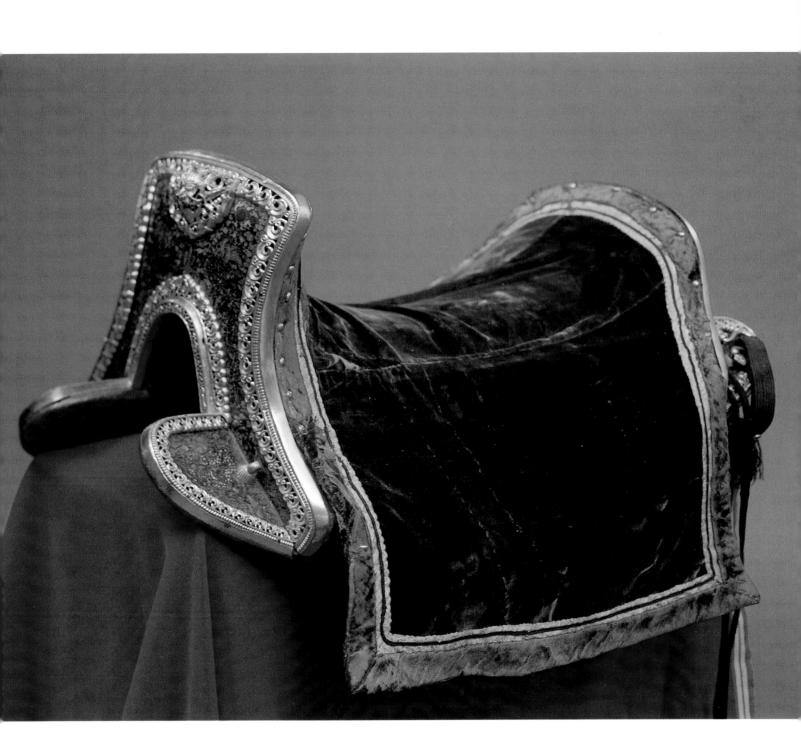

Las sillas, adornadas con motivos típicos chinos, son de perilla ancha y arzón muy bajo con una suave pendiente. Junto al bronce y cobre dorados que se empleaban para fabricar las armaduras de las sillas, los artífices solían usar con frecuencia nácar de colores y esmalte de tabicado. Para el tapizado de los asientos se usaba terciopelo en relieve y satén, bordados con libres arabescos rítmicos de seda de diferentes colores, configurando un movimiento en espiral constante. Todos estos rasgos se reflejan excelentemente en la silla adornada con nácar de varios colores y bronce. El juego de luz y sombra, que resulta de la diferencia de niveles en el relieve de la decoración, contribuye a aumentar el efecto artístico. La brillante ornamentación artística de esta silla muestra lo que significaba fabricar una pieza especialmente para servir de obsequio al zar Feodoro Alexeievich.

Las sillas y los estribos chinos se usaban muy rara vez en Rusia como adornos de los desfiles de gala del zar. Ya en la Antigüedad, los chinos empleaban el bronce para la fabricación de varias piezas. En las excavaciones de una ciudad, que existió entre 1350 - 1124 a. de J.C., se encontraron talleres de fundición de bronce, así como distintos objetos de este metal en el panteón real.

42   PAR DE ESTRIBOS

China. Segunda mitad del siglo XVII
Cobre, nácar, cristal
Fundido, dorado, grabado, incrustado
Altura: 15,5 cm
Inventario: Nº K−65/1−2; 8743 op

En el año 1678, el embajador N.G. Spafari le trajo al zar Miguel Feodorovich estos estribos como obsequio del emperador chino Kan−Si. La rejilla para apoyar el pie es redonda y presenta florones axiales decorados con turquesas. Los brazos y el borde de la rejilla están adornados con incrustaciones de nácar. Los ojales para pasar la correa que los fija a la montura están decorados con las cabezas del dragón en relieve.

Los motivos decorativos usados, así como el material y la factura son típicos del arte chino. El adorno de los estribos se adecúa a su solemne finalidad.

43   PAR DE ESTRIBOS

China. Segunda mitad del siglo XVII
Cobre
Fundido, dorado, esmaltado
Altura: 15,5 cm
Inventario: Nº K 67/1–2; 8756 op

Estos estribos dorados, con brazos y rejilla redonda, adornados con mosaico de esmalte, figuran entre los obsequios que trajo el embajador ruso N. Spafari en 1678. Las cavidades de cobre están cubiertas de esmaltes de diferentes y vivos colores. De esta manera, se distingue claramente del fondo el diseño con la imagen tradicional del dragón. El creativo adorno de estas piezas muestra la brillante maestría que requería la difícil aplicación del esmalte tabicado, así como un excelente gusto artístico.

En la fabricación de adornos para caballos y distintas piezas de lujo, los maestros chinos solían aplicar con frecuencia la técnica del esmalte tabicado.

44 PENDIENTE DE AHOGADERO

China. Segunda mitad del siglo XVII
Bronce, crin de caballo
Fundido, dorado
Longitud: 40 cm
Inventario: N° K−68/1; 8989 op

Entre las piezas chinas para engalanar los caballos, traídas a Rusia por el embajador ruso N. Spafari en 1678, figuraba una borla de ahogadero. La parte superior de esta borla es de bronce dorado, calado y adornado con corales rojos. La borla misma está compuesta de crin de caballo teñida de carmesí y se fija por medio de una base de madera. Este pendiente de ahogadero completaba el adorno del caballo y le daba un aspecto muy vistoso.

45 MANTILLA

China. Segunda mitad del siglo XVII
Damasco, hilos de seda
Bordado, tejido
Dimensión: 158 x 65 cm
Inventario: N° TK−618; 9138 op

Junto a otras piezas de los arneses de caballo, traídas por el embajador ruso N.G. Spafari en 1678, se han conservado caparazones chinos confeccionados en el siglo XVII. Estos caparazones no sólo constituyen piezas muy raras de adorno para caballos, sino también nos muestran las telas más interesantes de fabricación china: terciopelo en relieve, satén y "camca", antiguo tejido de seda bordado en azul claro, azul marino y marrón. Asimismo, representan unos ejemplares no menos preciosos del bordado chino, que se destaca por sus exquisitos dibujos y su gama de colores. La composición y el colorido muestran la estrecha vinculación entre el bordado y la pintura. El bordado ornamental se destaca por su ritmo y una interpretación bastante libre. Impresiona el sinnúmero de variaciones del motivo principal: nubes fantásticas y flores, ornamento tradicional muy característico del arte chino de la época. Se solían utilizar también con frecuencia imágenes fabulosas, en las que tampoco se atenían a un esquema, sino que las diseñaban libremente. Este método se aplicó al adornar esta mantilla de damasco de color azul intenso. Los bordes están bordados en seda de varios colores, empleando como motivos peces, dragones, antorchas y soles. Estos bordes se destacan por su variada gama de colores (en la que predominan el azul, verde, marrón y amarillo), así como por la originalidad de la traza. Los bordadores acertaron plenamente al elegir los matices de los distintos colores de seda. Combinando con destreza los colores con el fondo de la tela, los artífices lograron crear una pieza adornada con extraordinaria elegancia y belleza. Los caparazones de terciopelo de buena calidad, en los que la mitad de los hilos (en el bordado o en el fondo) no se cortaban, sino que se dejaban en forma de lazos, solían utilizarse en la vida cotidiana de la corte rusa. Los caparazones, confeccionados a base de telas parecidas, gozaban de gran aprecio en la Rusia antigua, por su grandioso efecto decorativo.

ADORNOS DE GALA PARA CABALLOS DE EUROPA OCCIDENTAL

46   SILLA DE MONTAR

Alemania, Hamburgo (?). Siglo XVII
Madera, terciopelo, hilos de oro
Bordado, tejido
Longitud de la silla: 45 cm
Altura de la perilla: 27 cm
Altura del arzón: 27 cm
Inventario: Nº K–60; 8603 op

El reducido número de piezas alemanas conservadas en la Armería se remontan al período comprendido entre el segundo cuarto y finales del siglo XVII. Estas piezas comprenden ejemplares de alta calidad, representativos de los centros artísticos más importantes especializados en la fabricación de arneses de lujo para caballos. La construcción de las sillas se basa en los modelos antiguos que datan de la época de la caballería. El rigor de los estatutos de los artesanos trajo consigo la observación de las formas y la ornamentación antiguas. Con frecuencia, los artesanos se atenían, asimismo, a las antiguas tradiciones, plegándose a los gustos de los clientes locales. Al mismo tiempo, el modo de vivir cortesano hizo que los maestros acogieran rápidamente las peculiaridades del estilo barroco europeo. A partir de los años cincuenta, la decoración se fue enriqueciendo en cuanto a la interpretación de los motivos vegetales. Se introdujo también el llamado "tipo a flores" proveniente de Holanda. Al mismo tiempo, se empleaba otro adorno en la decoración artística de las sillas: el per)unte, que incluye el fino ornamento trenzado de hilos de oro y plata.

Todos estos rasgos se materializaron en la forma y decoración de esta silla. La perilla y el arzón de la silla son altos y se dispone de alas de apoyo para la pierna especialmente fabricadas. En el adorno artístico predomina el magnífico bordado. La selección de los colores, como por ejemplo la combinación del bordado de oro con el color rojo de la silla, es delicada. Se supone que esta pieza fue fabricada en Hamburgo, en la segunda mitad del siglo XVII. Su suntuosa decoración muestra que esta silla fue fabricada para ser usada durante las fiestas solemnes.

Según fuentes literarias, esta silla llegó a Moscú durante las conquistas en Polonia del zar Alexey Mijailovich, a mediados del siglo XVII. No obstante, ciertos documentos indican que fue traída a Rusia por mercaderes.

47–48   PAR DE FUNDAS DE PISTOLA

Alemania, Hamburgo (?). Siglo XVII
Terciopelo, hilos de oro, piel
Bordado, tejido, estampado
Longitud: 40 cm
Inventario: Nº OR–1354, 1355; 8835 op

Estas fundas de pistola son obras de elevado valor artístico. En ellas se llevaban grandes pistolas de arzón de unos 60 cm de longitud o incluso mayores. Las fundas se fijaban a la silla de montar. Los artífices decoraban con suntuosidad y variedad los diferentes objetos necesarios para la utilización de las armas. Las fundas se adornaban con composiciones bordadas y encajes. A menudo dibujaban personajes simbólicos, jinetes o simplemente caballos, pájaros, animales, flores y trofeos militares. En los ornamentos también aparecían con frecuencia blasones europeos. A veces, copiaban ciertas composiciones complicadas de grabados. Los pintores y las bordadoras de oro, en general, empleaban en sus composiciones y ornamentos los motivos típicos y estéticos de la época. Un bordado barroco de alta calidad cubre las vueltas de piel de las fundas decoradas con motivos estampados. Una composición a base de volutas encuadra la imagen del escudo de armas del Estado, que aparece en relieve. Los artesanos alemanes empleaban diestramente las cualidades decorativas de los materiales, y mediante el bordado de oro y el terciopelo color carmesí se obtuvo una brillante combinación. Efectivamente, el resplandeciente oro de la superficie de la tela matiza el fondo de color carmesí oscuro. El ornamento y la composición del escudo de armas del Estado se combinan creando un dibujo original y bello. Para obtener el relieve de ciertos motivos se ponía por debajo un cartón grueso.

La técnica del bordado es variada. Esta obra refleja una de las tendencias en la actividad creadora de los maestros alemanes (de Hamburgo ?) que ejercían esta labor.

Estas fundas fueron llevadas a Rusia por comerciantes.

49 CABEZADA

Europa Central. Finales del siglo XVII
Plata, nácar, piedras preciosas, piel
Fundido, dorado, labrado
Longitud: 48 cm
Inventario: Nº K–430; 8803 op

50 PETRAL

Europa Central. Finales del siglo XVII
Plata, nácar, piedras preciosas, piel
Fundido, dorado, labrado
Longitud de las correas: 71, 71 y 58 cm
Inventario: Nº K–431; 8803 op

51 BATICOLA

Europa Central. Finales del siglo XVII
Plata, nácar, piedras preciosas, piel
Fundido, dorado, labrado
Longitud: 110 cm
Inventario: Nº K–432; 8803 op

Para engalanar el caballo del zar Feodoro Alexeievich se empleó este juego de cabezada, petral y baticola. La unidad estilística de las piezas permite suponer que fueron realizadas por un mismo autor. Su decoración consiste en adornos aplicados y pendientes de nácar, fijados en una armadura de plata dorada, que forma rombos y toma el nombre de "espejo de tres superficies". Estas piezas están cubiertas de brillantes piedras de color carmesí: rubíes y almandinas.

Desgraciadamente, carecemos de documentos sobre el origen de este juego de piezas. Es poco probable que fuese hecho en Moscú. La singularidad de las obras rusas datadas del siglo XVII se percibe inmediatamente, no sólo a través de su ornamentación, sino también a causa de su factura y modo de engastar las piedras preciosas. Cada detalle de la cabezada, petral y baticola está vinculado a la orfebrería de Europa Occidental. La tipología ornamental y los engastes recuerdan la labor de los orfebres de Augsburgo, el mayor centro de joyería de Alemania del Sur. La datación de estas piezas se sitúa a finales del siglo XVII. Es difícil suponer que se tratase de un encargo especial efectuado en el extranjero, ya que estos pedidos no eran característicos de la corte rusa. Por consiguiente, lo más probable es que estos tres adornos de caballo, tan peculiares, fueran regalados al zar.

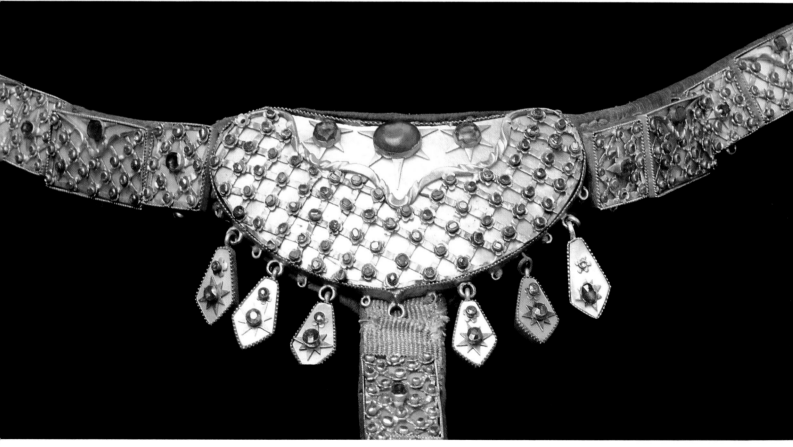

52 BATICOLA

Alemania. Siglo XVII
Plata, terciopelo, piel
Fundido, dorado, grabado, tejido
Inventario: Nº K–433; 8788 op

La baticola que figura en la exposición forma parte de un juego de gala de caballo que se conserva en la Armería. Como el resto de las piezas, la baticola consiste en una correa de piel cubierta de terciopelo carmesí. Sobre esta correa se aplican adornos de oro y plata fundidos, dispuestos en alternancia. Los adornos aplicados están labrados en forma de gavillas y grandes volutas. La borla central está hecha con hilos de seda color guinda.

Podemos suponer que la baticola – como el resto del juego – fue regalada a la corte rusa por representantes diplomáticos y comerciales, ya que sobre una de las piezas de este conjunto figura la imagen del águila bicéfala.

53 SILLA DE MONTAR DE NIÑO

Alemania. Primera mitad del siglo XVII
Madera, terciopelo, cobre
Fundido, tejido
Longitud de la silla: 35 cm
Altura de la perilla: 19 cm
Altura del arzón: 12 cm
Inventario: Nº K–450; 8616 op

Los datos conocidos sobre esta silla se basan en el antiguo inventario de 1706 del Tesoro de la Caballería, que se ha conservado íntegramente. En él se encuentra la lista completa de los arneses de caballo que se guardaban en las "cámaras" del Kremlin de Moscú. En dicho inventario están incluidas tanto las obras creadas en los talleres artísticos del Kremlin como los objetos que llegaban a Rusia en calidad de regalos diplomáticos y a través de comerciantes. En él figura la descripción de esta silla infantil y de otras parecidas. Las detalladas descripciones manifiestan que las sillas infantiles se parecen mucho a las de los adultos por sus formas, su decoración artística y su estructura. Las perillas y arzones son alzados con relación al asiento, que es más bajo. Se apercibe un incremento de la decoración que se adapta a las nuevas tendencias de la época. Cabe subrayar que en la decoración artística de muchos asientos se emplea el pespunte para bordar la trenza ornamental. En este ejemplar se ha empleado el galón; Esta silla tiene un valor especial, ya que reúne las características de la silla de montar alemana del siglo XVII y la connotación de juguete. Las sillas de montar

de niño son muy raras. Los hijos del zar, que aprendían la equitación desde la niñez, utilizaban estas sillas en sus juegos. Por ejemplo, esta silla, traída a Rusia por comerciantes, fue usada por el pequeño zar Alexey Mijailovich.

54 PAR DE ESTRIBOS INFANTILES

Alemania. Segunda mitad del siglo XVII
Cobre
Fundido
Altura: 9,5 cm
Inventario: Nº K–451/1–2; 8616 op

Según la literatura especializada, los estribos surgieron en Europa Occidental a principios del siglo VIII, introducidos por los pueblos nómadas orientales. La utilización de los estribos contribuyó a mejorar los medios de transporte. Esto fue significativo para la reorganización militar y la creación de la caballería pesada. Dignos de mención son los estribos del siglo XVII que se conservan en las colecciones de numeros museos de la Unión Soviética y del extranjero. Estos estribos infantiles representan una de las diversas tipologías de los estribos alemanes. Estos son de brazos estrechos y perilla ovalada. Estos estribos y la silla de montar de niño fueron llevados a Moscú por comerciantes. Pertenecieron al príncipe Alexey, hijo menor del zar Miguel.

55 PAR DE ESTRIBOS

Europa Occidental. Siglo XVII
Hierro
Fundido, damasquinado
Altura: 21 cm
Inventario: Nº K–1104/1–2; 8545 op

En la colección de la Armería están representados varios tipos de estribos fabricados por maestros de Europa Occidental. Uno de los modelos más interesantes son los estribos en forma de lira con artístico ojal para el paso de la correa que se ciñe a la silla. Son de hierro fundido, calados y adornados con motivos vegetales. El exterior de los brazos, damasquinado en oro, presenta flores pequeñas de múltiples pétalos y follaje.

Caza Real

EL ARMAMENTO RUSO DE GALA

56   COTA DE MALLA ("Pancir")

Moscú, Armería del Kremlin. Siglo XVII
Hierro
Forjado, remachado
Longitud: 91 cm
Inventario: N° OR–4714; 4528 op

Cota de malla de anillos planos remachados. Es de cuello redondo, abierto por delante, y tiene mangas rectas y cortas. Por delante es más larga y está abierta.

El "pancir" es un tipo de vestido de protección, compuesto de anillos, que se usaba en la antigua Rusia. A diferencia del clásico tejido de mallas, compuesto de anillos de hierro de sección transversal redonda, para la fabricación del "pancir" se empleaban anillos planos remachados entre sí. Así, el enlazado del "pancir" ampliaba el campo metálico que protegía al hombre de las flechas y otras armas blancas punzantes. En la Rusia de los siglos XVI–XVII, el "pancir" era uno de los armamentos defensivos más divulgados. Uno de los centros más importantes que fabricaban armaduras era la Armería del Kremlin de Moscú. Los "pancires" hechos en Moscú eran solicitados por los comerciantes occidentales, que apreciaban altamente el arte de los armeros rusos.

CASCO

Descripción cat. n° 89

57 ARMADURA

Moscú, Armería del Kremlin. Siglo XVII
Acero, cobre
Forjado, repujado, fundido, dorado
Inventario: N° OR–35/1–2; 4568 op

Armadura compuesta de dos piezas que cubren el pecho y la espalda, respectivamente. Está decorada con adornos fundidos, cinco de ellos con la imagen del águila bicéfala coronada. El peto comprende veinticuatro chapas de acero, y el espaldar, diecinueve, unidas entre sí con tejido de mallas. Las chapas están labradas con acanaladuras oblicuas, alternándose las doradas y las sin dorar. La parte inferior de la armadura presenta una banda de tejido de mallas, cuyos anillos enlazados son pequeños y planos. La armadura metálica es el armamento defensivo tradicional ruso. A la cota de malla se añadían chapas que protegían el pecho y la espalda del militar. A menudo, estas chapas se pulían hasta adquirir el resplandor del espejo. Las armaduras del zar eran muy ricas y se decoraban con dorados, plateados, adornos fundidos, dibujos repujados y grabados. Esta armadura creaba una imagen monumental que simbolizaba la fuerza y el poder.

Moscú, Armería del Kremlin. Mediados del siglo XVII
Obra de Nikita Davidov
Hierro, cobre
Forjado, grabado, remachado
Altura: 34,5 cm
Anchura: 52,5 cm
Inventario: N° OR–1510; 4747 op

Peto de hierro adornado con motivos vegetales grabados. En el centro del medallón oval destaca la figura de un león rampante, que tiene en sus patas una espada y un haz de flechas. Entre los follajes aparecen grifos y machos cabríos. Al peto se fijan los ganchos de cobre que retienen las correas; el bajo del peto está adornado con remaches de cobre. Durante los años 30 del siglo XVII se introdujeron en Rusia regimientos militares especiales, llamados del "nuevo sistema", dotados del típico armamento de Europa Occidental. Las armaduras que protegían el pecho y la espalda del militar se compraban en el extranjero en grandes cantidades. Sin embargo, en la Armería del Kremlin de Moscú también existían maestros especializados que hacían armaduras. Para las ceremonias solemnes se fabricaban ejemplares de gala que se

destacaban por su decoración extraordinaria. En las armaduras se lograba un gran efecto decorativo gracias a los motivos grabados en relieve.

En la Armería estatal se han conservado armaduras hechas por el famoso armero Nikita Davidov, que trabajó 50 años en el taller del Kremlin. Las peculiaridades estilísticas de la coraza grabada que figura en la exposición nos permite atribuirla a Nikita Davidov.

59   BRAZALES

Rusia. Siglo XVII
Hierro
Forjado, grabado, repujado, remachado
Longitud de los brazales: 31,7 cm
Longitud de las bandas de muñeca: 11,2 cm
Inventario: Nº OR–4087/1–2; 4689 op

Brazales de hierro adornados con motivos vegetales grabados.
El interior de la muñeca está protegido por dos placas que se fijan con un tejido de mallas. Los brazales protegían el brazo del guerrero desde la mano hasta el codo y eran elementos indispensables del armamento defensivo ruso.

Generalmente, los brazales se decoraban de la misma manera que el peto. Todas estas piezas formaban un conjunto. Los grabados en relieve eran muy apreciados por los artistas-ar rusos.

Moscú, Armería del Kremlin. Siglo XVII
Hierro, latón
Forjado, fundido, remachado
Diámetro: 49,5 cm
Inventario: Nº OR–843; 5154 op

Escudo de hierro, redondo y ligeramente abombado. Superficie trabajada con una cruz de brazos iguales, decorada con adornos y remaches de latón, en forma de florón. El borde sogueado del escudo presenta remaches de latón. Escudos parecidos se guardaban en grandes cantidades en la Armería de Moscú, que constituía no solamente un taller de producción, sino también un depósito–arsenal.

Estos escudos se usaban no solamente como defensa de las tropas rusas, sino también como adorno en las ceremonias estatales. Los usaba como armamento la guardia zarista, que acompañaba a las carrozas de gala.

61 HACHA DE EMBAJADA

Moscú, Armería del Kremlin. Segunda mitad del siglo XVII
Acero damasquino, plata, turquesa
Forjado, grabado, damasquinado, dorado
Longitud total: 127 cm
Inventario: Nº OR–2239; 5276 op

Hacha de acero damasquino en forma de media luna. Toda la superficie está damasquinada de oro con la imagen heráldica del águila bicéfala bajo tres coronas, la figura de San Jorge el Vencedor, leones, unicornios y plantas. La empuñadura es de madera cubierta de plata y dorada trabajada con motivos vegetales; cima adornada con turquesas grandes. El hacha de embajada es una de las piezas históricas más raras del arte armero ruso. Ejemplares parecidos se conservan solamente en los museos del Kremlin de Moscú. los monarcas usaban las hachas de embajada durante las salidas solemnes. Las llevaban cuatro favoritos de las familias más nobles del Estado. Este ceremonial representaba un espectáculo muy pintoresco y extraordinario. Los "Rindas" (soldados de guardia del zar en la Rusia Moscovita) estaban vestidos con kaftanes y altos gorros blancos ribeteados de piel de cebellina. El cuello estaba adornado con una pesada cadena pechera de oro. Cada "Rinda" llevaba en el pecho el hacha de embajada, que simbolizaba la riqueza y el poder del zar.

El hacha está finamente damasquinada de oro y dorada. La cuchilla es de acero damasquino, mundialmente reconocido por sus calidades de corte.

62 VENABLO

Rusia. Siglo XVII
Acero damasquino
Forjado
Longitud del hierro: 37 cm
Inventario: Nº OR–889; 5623 op

Hierro, de acero damasquino, adornado de un canal calado; estos agudos hierros colocados en largos palos se empleaban ampliamente en las cacerías como arma punzante. En las cacerías del zar se utilizaban armas adornadas parecidas a ésta. El canal calado del hierro le da una ligereza y elegancia especial.

63 VENABLO

Rusia. Siglo XVII
Acero damasquino
Forjado, incrustado
Longitud del hierro: 28 cm
Inventario: Nº OR–891; 5627 op

Hierro, de acero damasquino, con nervadura axial y bordes afilados, decorado con un arabesco vegetal damasquinado de oro. La incrustación de oro en la sólida superficie del acero damasquino era un trabajo complicado que exigía destreza y conocimiento del arte de la joyería. Así adornaban los maestros rusos las partes más significativas de las armas.

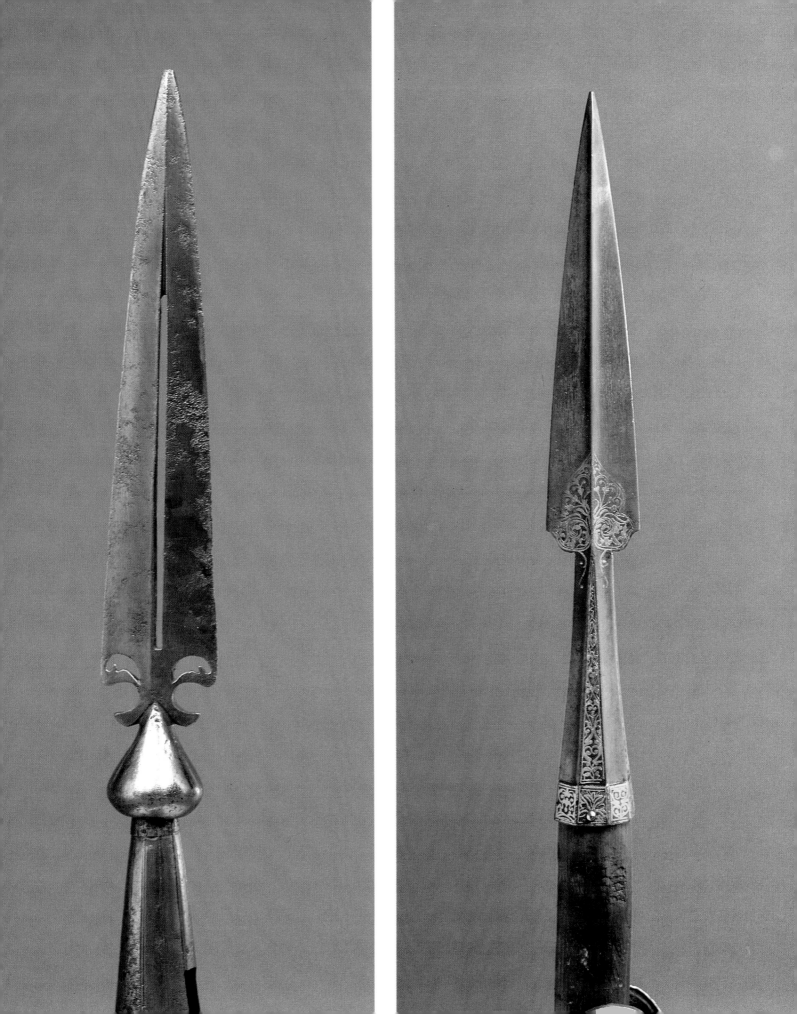

Montaje: Moscú, Armería del Kremlin. Segunda mitad del siglo XVII
Hoja: Irán. Mediados del siglo XVII
Colección del zar Pedro I (?)
Acero damasquino, plata, madera, piel, tela
Forjado, damasquinado, grabado, dorado, cincelado
Longitud total: 116,5 cm
Longitud de la hoja: 101,5 cm
Inventario: N° OR−4431/1−3; 5935 op

Sable con hoja de acero damasquino, acabada en punta tetragonal y damasquinada de oro con los nombres de Alá, Jasan y Aji−Dzan. La empuñadura y la guarnición de la vaina son de plata dorada y grabada. El sable se caracteriza por la forma especial de la hoja: ancha al fuerte y punta cuadrangular. En las colecciones de los museos de la Unión Soviética se conservan sólo unos cuantos ejemplares similares. La forma especial de la hoja permitía su utilización como arma de corte y de estoque. La punta de la hoja penetraba a través de la cota de malla o entre las piezas de la armadura. La primorosa decoración damasquinada de oro es obra del maestro iraní Aji-Dzan. Las calidades de temple y artísticas de las hojas de Irán eran altamente apreciadas. Los maestros plateros rusos crearon la empuñadura y la guarnición de la vaina en plata dorada, finamente grabada. En 1810, el sable entró en la Armería del Kremlin de Moscú, junto con la colección privada de armas de Pedro I.

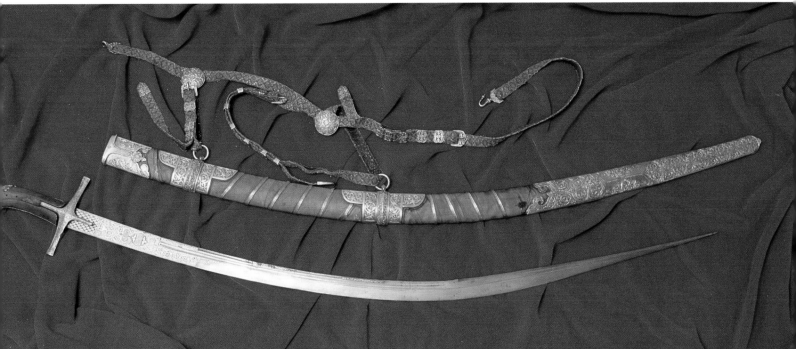

65 CUCHILLO Y TENEDOR CON VAINA

Moscú, Armería del Kremlin. Siglo XVII
Hierro, plata, madera, turquesas
Forjado, grabado, dorado
Longitud total: 20 cm
Longitud del cuchillo: 14,8 cm
Longitud del tenedor: 14,6 cm
Inventario: N° OR−3871/1−3; 6310 op

Cuchillo con hoja de acero y mango de plata dorada, adornado con figuras grabadas de pájaros. El tenedor de dos dientes es de plata dorada y el mango está decorado como el del cuchillo. La vaina es de madera revestida de plata dorada.

En el siglo XVII, tales conjuntos eran necesarios en la vida cotidiana de los rusos, durante los viajes y las comidas en el campo. Sin embargo, muy pocos ejemplares se han conservado en las colecciones de los museos.

Es importante subrayar que los maestros plateros rusos que trabajaban en los talleres del zar aspiraban a dar a los objetos utilitarios belleza y calidad. El cuchillo y el tenedor ingresaron en la Armería en 1850 como rarísimo testimonio de la vida cotidiana en la corte del zar, en el siglo XVII; proceden de la colección privada de G. Korobanov, famoso coleccionista de objetos antiguos.

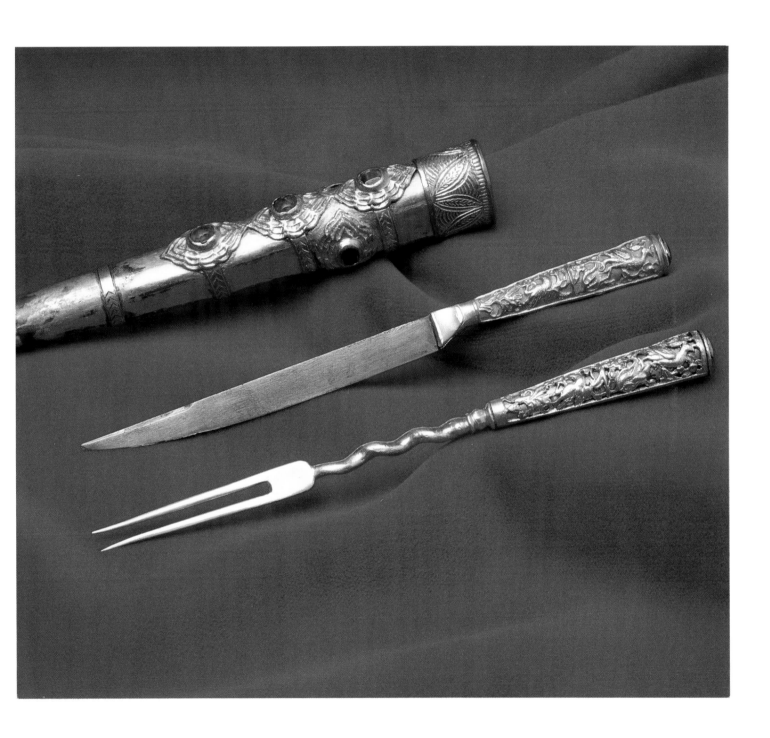

66   SAADAK (funda de arco y aljaba)

Moscú, Armería del Kremlin. 1673
Obra realizada por Prokofiy Andreev
Perteneció al zar Alexey Mijailovich
Cuero, plata
Bordado, dorado, nielado, grabado
Longitud de la funda de arco: 72 cm
Longitud de la aljaba: 41,5 cm
Inventario: N° OR−4470/1−2; 6342 op

Funda de arco y aljaba de cuero rojo bordadas con hilos de oro y plata y adornadas con plantas, pájaros y volutas. En el centro de la funda del arco figura el escudo de armas del Estado y el Kremlin de Moscú (visto desde la Plaza Roja). Lo rodean los escudos de armas de Nóvgorod, Kazán, Siberia, Pskov, Tver, Perm. Los escudos de armas de Riazán y Smolensk, y motivos vegetales adornan la aljaba.

El saadak comprende un conjunto de armas, es decir: arco, flechas, funda de arco, aljaba y "tahtuj" (funda de aljaba). En el siglo XVII se solían usar los saadaks para cazar. Al mismo tiempo, la corte incluía el saadak en la categoría de armas de gala. La Armería del Kremlin ha conservado unos saadaks pertenecientes al tesoro del zar. Durante las campañas, los armeros y ciertas personas encargadas de ejercer este oficio específico cuidaban de los saadaks con esmero. Durante los desfiles militares e incluso en otras ceremonias que contaban con la presencia del zar, se solían enseñar los saadaks a los participantes de la fiesta.

El valor simbólico de este saadak permite situarlo entre las piezas más significativas. En efecto, posee una de las imágenes heráldicas más antiguas de los escudos de armas de los territorios que formaban el Estado ruso por los años 70 del siglo XVII. El saadak fue fabricado en 1673 por el famoso maestro de la Armería Prokofiy Andreev para regalarlo, durante la Semana Santa, al zar Alexey Mijailovich.

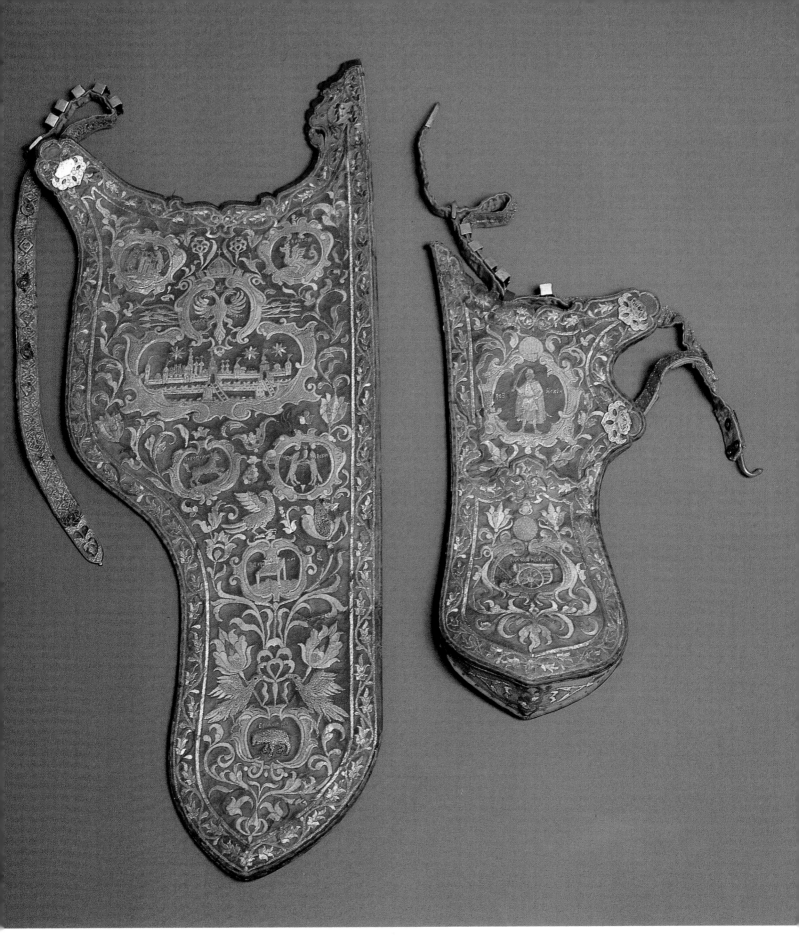

67

67 SAADAK (funda de arco y aljaba)

Moscú, Armería del Kremlin. 1674
Obra realizada por Prokofiy Andreev
Perteneció al zar Alexey Mijailovich
Cuero, tela, plata
Bordado, dorado, nielado, grabado
Longitud de la funda de arco: 73 cm
Longitud de la aljaba: 42,5 cm
Inventario: N° OR–4469/1–2; 6343 op

Funda de arco y aljaba de cuero verde bordadas con hilos de plata y adornadas con plantas, pájaros y fieras fabulosas. Las hebillas de plata dorada se destacan por la ornamentación grabada y nielada. El reverso de la aljaba está forrado de raso.

La fabricación del saadak constituía un acto importante. Incluso existía el término especial "construir el saadak". El proceso de labrar el cuero era labor exclusiva de los hombres debido a su dificultad. Prokofiy Andreev fue uno de los mejores armeros de la Armería. Por esta razón se le encargó, precisamente a él, "construir" este saadak para regalarlo al zar Alexey Mijailovich. Sólo con la aguja e hilo de plata el maestro logró crear una composición graciosa y suave de destacada belleza.

68 TAHTUJ (funda de aljaba)

Moscú, Armería del Kremlin. 1667
Obra realizada por Prokofiy Andreev, Astafiy Ivanov y Andrey Eliseev
Perteneció al príncipe Alexey Alexeievich
Seda, lentejuelas
Bordado, tejido
Longitud: 79 cm
Inventario: N° OR−146/3; 6345 op

El águila de dos cabezas y motivos vegetales adornan este tahtuj de seda blanca, bordado con lentejuelas, hilos dorados y de seda. El tahtuj forma parte del saadak y figura entre las piezas históricas significativas. El tahtuj amparaba las lujosas aljabas del zar durante las marchas. Se ponía sobre la aljaba, logrando de este modo proteger las flechas de la humedad. En el fondo del tahtuj está bordado el escudo de armas del Estado ruso que testimonia su pertenencia al tesoro del zar. Todo el saadak, incluso el tahtuj blanco, fue fabricado en la Armería por encargo del hijo del zar, el príncipe Alexey Alexeievich.

69 ARCO

Rusia. Siglo XVII
Cuerno, madera, cuero, hueso
Longitud: 97 cm
Inventario: N° OR–4787; 6322 op

Arco cubierto de cuero donde se conservan restos de la pintura de oro
y plata.

70–71 FLECHAS

Rusia. Siglo XVII
Hierro, madera, plumas
Longitud: 87,1 y 91 cm
Inventario: N° OR–4240, 4245; 6329 op

Flechas de caza con puntas de hierro forjadas en forma de hoja, que se
ajustan a astas de abedul cubiertas de corteza del mismo árbol. Unas
plumas coronan los extremos posteriores.

72 FLECHA

Rusia. Siglo XVII
Hueso, madera, plumas
Longitud: 76,1 cm
Inventario: N° OR–4246; 6330 op

Flecha de caza con punta triangular de hueso. El asta de abedul está
cubierta de corteza del mismo árbol y plumas. En el siglo XVII se
usaba de forma generalizada en la caza. Ya que, dando en el blanco con
este tipo de flecha, el cazador podía estar tranquilo por la suerte de la
piel fina de los animales pequeños. En general, se solían hacer las
puntas de hierro, pero había algunas fabricadas de hueso que, aton-
tando al animal, nunca causaban daño a la preciosa piel.
La distancia media alcanzada por una flecha en un terreno uniforme
superaba 200 m, logrando hacer blanco a 150 m. Recordemos que, en
este período, el arco y las flechas formaban parte del conjunto de armas
de gala llamado saadak.

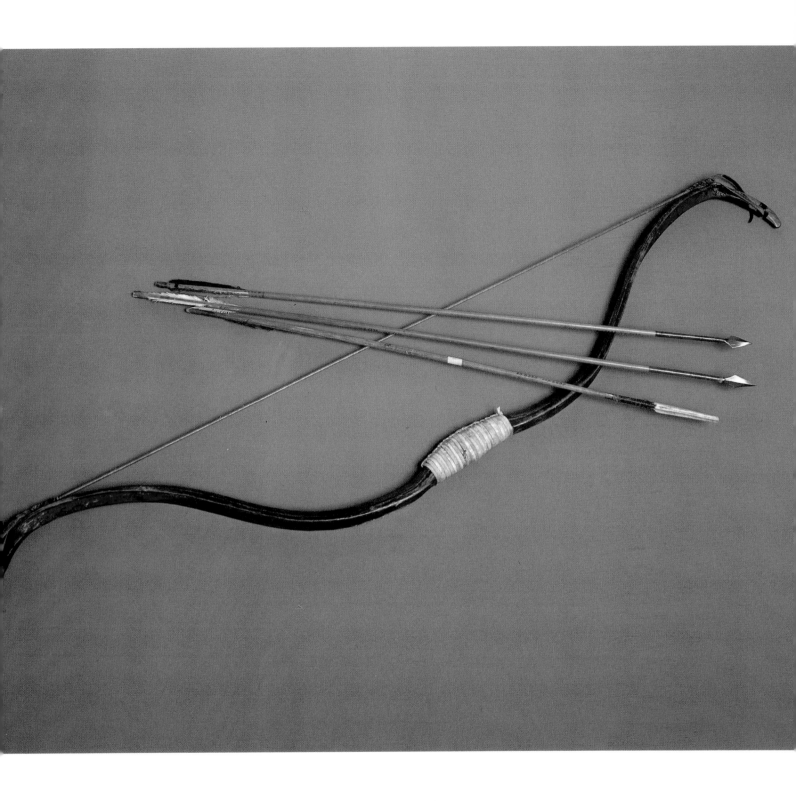

73 CARABINA DE CHISPA

Moscú, Armería del Kremlin. Primera mitad del siglo XVII
Hierro, acero, madera, nácar, plata
Forjado, grabado, dorado, incrustado
Longitud total: 115 cm
Longitud del cañón: 82,5 cm
Calibre: 15 mm
Inventario: Nº OR–1963; 7500 op

Carabina con cañón de hierro trabajado. La plantilla y otras piezas de la llave están cubiertas de una ornamentación grabada y dorada. La cazoleta está resguardada por un elemento en forma de concha. Caja adornada con láminas de nácar e hilos de plata incrustados.

En los siglos XVI–XVII se difunden en Rusia escopetas–carabinas ligeras y cortas. Las escopetas y pistolas de lujo y de caza, fabricadas en la Armería del Kremlin, estaban dotadas de llaves de chispa. La forma de la plantilla de esta carabina es rara; el ensanche axial imita la llave de rueda, sistema que no se fabricaba en la Armería, al carecer éste de popularidad en Rusia.

La decoración de esta carabina hereda las tradiciones y las peculiaridades estilísticas del siglo anterior. En la primera mitad del siglo XVII, se tiende a adornar toda la superficie del cañón, llave y caja de la carabina. Trabajando con esmero y diversidad el metal y la madera, los maestros rusos manifestaron un extraordinario gusto artístico.

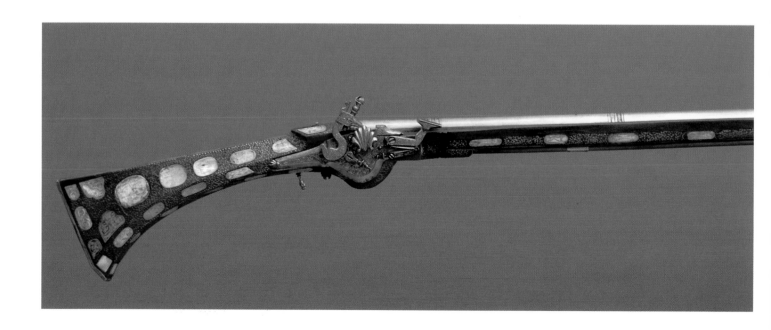

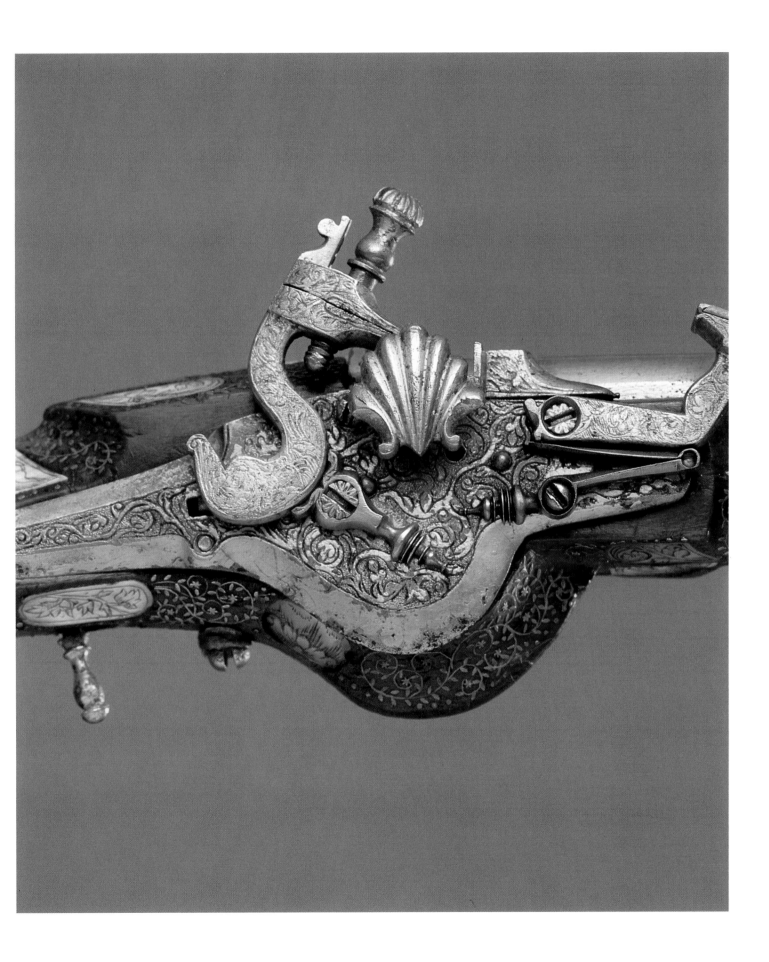

Moscú, Armería del Kremlin. Segunda mitad del siglo XVII
Hierro, acero, madera, plata
Forjado, grabado, entallado, cincelado, incrustado, esmaltado
Longitud total: 104,7 cm
Longitud del cañón: 71,2 cm
Calibre: 11,5 mm
Estrías: 8
Inventario: Nº OR–1993; 7441 op

Carabina con cañón estriado de hierro y cabeza de monstruo a la boca. La calidad del cincelado resalta sobre el fondo dorado; figuran motivos tradicionales de plantas y el águila bicéfala. La plantilla y otras piezas de la llave están labradas cuidadosamente. Un escudete redondo, luciendo una corona, cubre la cazoleta. La caja de la carabina es de manzano, y parte de la guarnición es de plata dorada cubierta de intensos esmaltes.

La escopeta corta que armaba las tropas de Caballería rusas era llamada la "carabina chica". La carabina se solía sujetar a la bandolera con ayuda de un gancho apropiado (situado a la izquierda del arma). El cañón estriado de calibre relativamente pequeño permitía usar la carabina para cazar animales de piel fina. Los elementos de plata dorada con filigranas e intensos esmaltes infunde un valor específico a la ornamentación. A pesar de que la pintura vítrea estaba muy difundida en la Rusia del siglo XVII, una decoración tan rica en las armas es un fenómeno extraordinario.

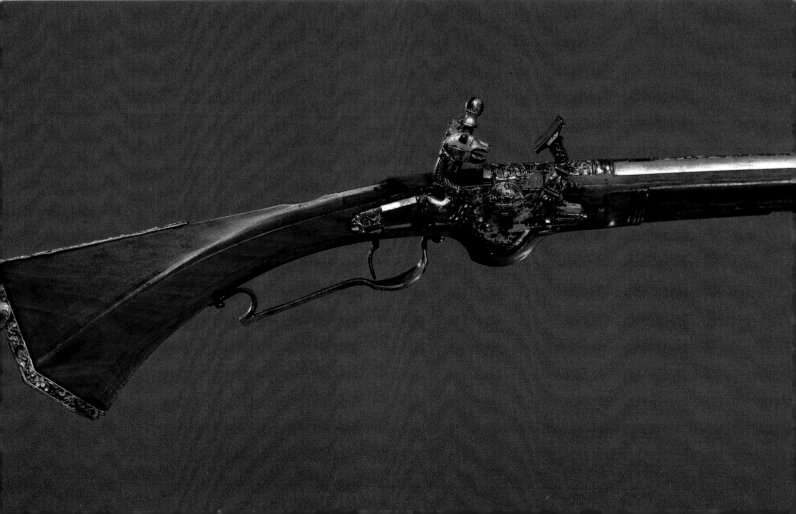

75–76 PAR DE PISTOLAS DE CHISPA

Moscú, Armería del Kremlin. Segunda mitad del siglo XVII
Hierro, acero, madera, plata
Forjado, grabado, entallado, incrustado, esmaltado, dorado, plateado
Longitud total: 64 cm
Longitud de los cañones: 44,5 cm
Calibre: 11 mm
Inventario: N.ºs OR–4971/1–2; 472/1–2; 8277 op

Cañones de hierro cincelados con los tradicionales motivos de plantas, el águila bicéfala y el grifo. Llaves cinceladas y doradas, con cazoletas resguardadas por escudetes labrados con las figuras de Pegaso. Cajas de nogal decoradas con elementos aplicados en plata y esmaltes de colores.

Las pistolas y carabinas con adornos en filigrana y esmalte solían formar un juego de armas de lujo. Las pistolas se llevaban en fundas especiales, fijadas a ambas partes del arzón de la silla de montar. Durante la caza, el jinete podía hacer dos tiros consecutivos con las pistolas, cargadas de antemano, lo que procuraba ciertas ventajas en la época de las armas portátiles de un solo tiro.

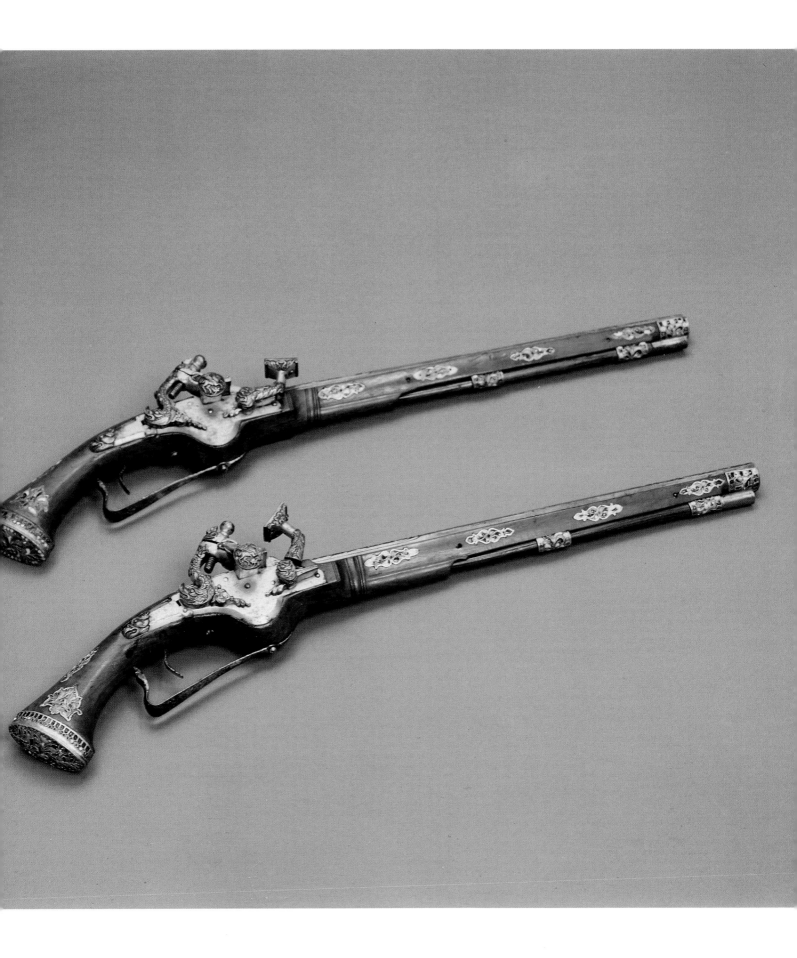

Moscú, Armería del Kremlin. Segunda mitad del siglo XVII
Obra realizada por el maestro "ЯВ"
Hierro, acero, madera, hueso, nácar
Forjado, grabado, dorado, incrustado
Longitud total: 139,5 cm
Longitud del cañón: 104 cm
Calibre: 9 mm
Estrías: 6
Inventario: Nº OR–1998/1–2; 7460 op

Arcabuz con el cañón estriado de hierro, cincelado y dorado con la figura de un monstruo con la cola enroscada y el águila de dos cabezas, elementos que se combinan con motivos vegetales y el monograma "ЯВ". Las piezas de la llave están cinceladas, grabadas y doradas. Toda la caja de nogal está incrustada de hueso, nácar y ébano. Las piezas del baquetero son de hueso blanco. El arcabuz hereda las formas tradicionales de las armas rusas, es decir: culata lisa con la llamada "mejilla" ancha y plana a la izquierda, y, a la derecha, un compartimento con tapa y cierre para guardar los accesorios del arma. La parte superior de la culata del arcabuz es ancha y pesada. La llave es de gran tamaño. Al tirar, nunca se apoyaba la culata al hombro, sino que el arma se mantenía con las manos, o se recurría a la ayuda de algún soporte.

Este arcabuz de la segunda mitad del siglo XVII fue realizado por un armero desconocido en la mejor tradición de las armas de lujo rusas, caracterizada por la viveza del colorido. En esta espléndida decoración, el maestro manifestó un saber y un gusto artístico cierto. La composición ornamental y su disposición en el arma perpetuan las peculiaridades artísticas nacionales.

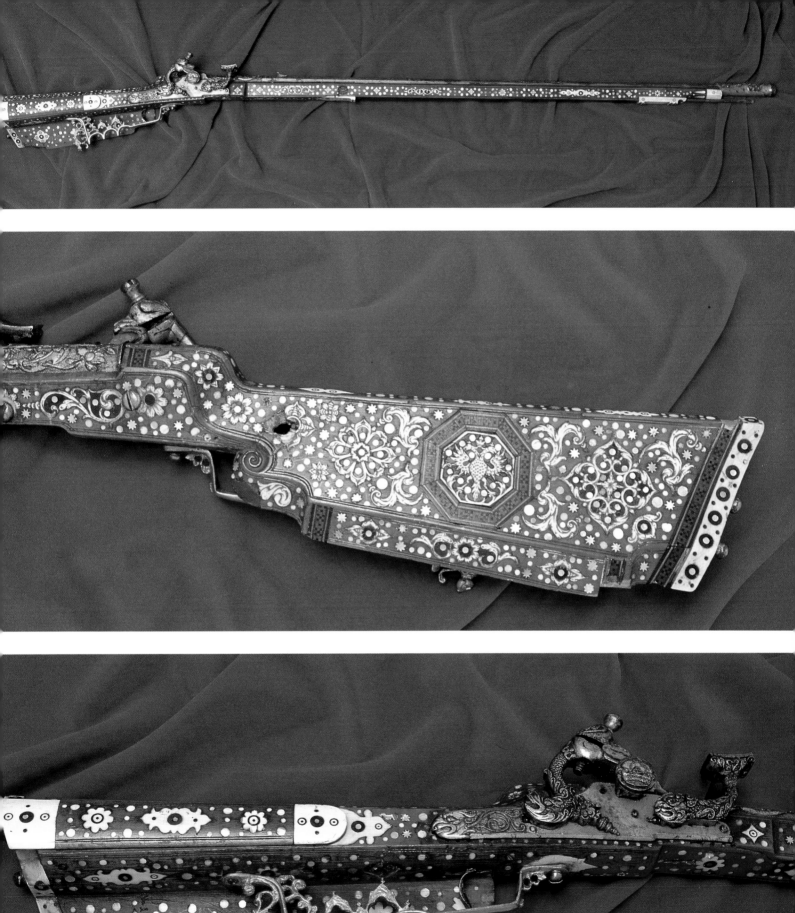

Moscú, Armería del Kremlin. Segunda mitad del siglo XVII
Cañón forjado por Vasiliy Fedotov
Caja realizada por Evtigiy Cuzovliov
Hierro, acero, madera, hueso
Forjado, grabado, tallado, cincelado, dorado, incrustado
Longitud total: 140,2 cm
Longitud del cañón: 103,8 cm
Calibre: 8,5 mm
Inventario: Nº OR–419; 7349 op

Arcabuz con cañón redondo, cuya boca y culata están trabajadas en relieve. El águila coronada forma parte de los adornos tradicionales. Todas las piezas de la llave están labradas y en la plantilla figuran grabados un caballo, un pájaro y flores. Caja de arcabuz decorada con incrustaciones de hueso.

En el siglo XVII, en la fabricación del arcabuz participaban no menos de cuatro "especialistas", que poseían el arte de hacer el cañón, la caja, la llave y la guarnición. El maestro que hacía las llaves solía finalizar la producción del arcabuz, o sea, llevaba a cabo el montaje del arma. Los archivos de la Armería conservan numerosos documentos que nos ofrecen una información interesante relativa a la fabricación de las armas de lujo. Gracias a esto, conocemos muchos nombres de armeros destacados del Kremlin. Sólo los que eran auténticos artistas y tenían un estilo artístico peculiar, merecían el honor de trabajar en los talleres del zar. Nuestra generación tiene la posibilidad de contemplar, en la Armería del Kremlin, más de 100 arcabuces diferentes del siglo XVII.

Entre las armas de lujo se han conservado dos arcabuces singulares, frutos de la creación de los destacados armeros V. Fedotov y E. Cuzovliov. Actualmente se expone aquí uno de estos arcabuces, recientemente restaurado con esmero en el Museo del Kremlin de Moscú.

Moscú, Armería del Kremlin. Segunda mitad del siglo XVII
Hierro, acero, madera, plata
Forjado, grabado, nielado, dorado, incrustado, entallado
Longitud total: 64,5 cm
Longitud del cañón: 44 cm
Calibre: 15 mm
Inventario: Nºs OR–4974/1–2, 4975/1–2; 8290 op

Los cañones de las pistolas son de hierro y están adornados con motivos dorados en relieve. El águila bicéfala bajo tres coronas, el grifo con la manzana en las patas, así como los motivos vegetales incrustados en plata, siguen la tradición ornamental de las armas. Las piezas de la llave están cinceladas, y las cazoletas están resguardadas por broqueles adornados con la corona. Caja con guarnición de plata dorada y nielada.

La fabricación de las pistolas reúne varias esmeradas técnicas de decoración de armas de lujo. Los cañones y llaves están cincelados. Las superficies doradas e incrustadas subrayan la vivacidad del dibujo en relieve. Lo más típico de los armeros rusos era subdividir visiblemente el cañón en tres partes, y decorar cada una de ellas de manera particular.

El dibujo en relieve y dorado de la boca y la culata del cañón, junto con el motivo geométrico estilizado de la zona central, crean una cierta oposición que enriquece la decoración del arma. Los pies de gato de las llaves son grandes y están labrados con figuras de fieras fabulosas. Para adornar las cajas de las pistolas, se empleaba la plata dorada, cubierta de delicados dibujos nielados.

Las imágenes heráldicas del águila bicéfala, la corona, el grifo y Pegaso son motivos tradicionales de la decoración de las piezas que entraban a formar parte del tesoro del zar.

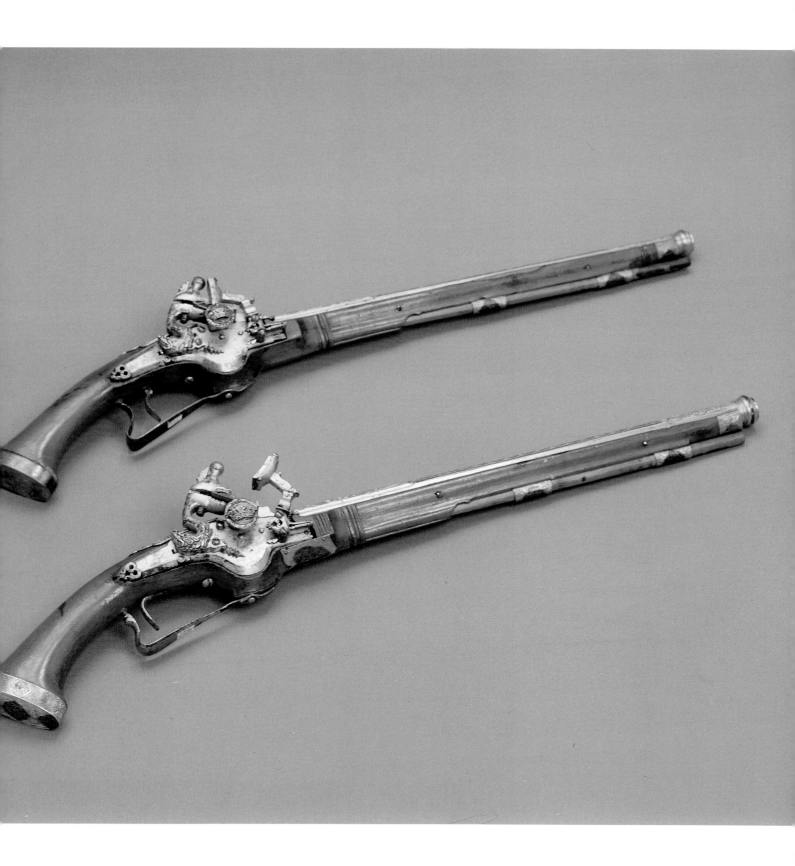

81   ESCOPETA DE REPETICIÓN

Moscú, Armería del Kremlin. 1665
Obra realizada por Kaspar Kalthof
Hierro, acero, madera, cobre
Forjado, grabado
Longitud total: 117,5 cm
Longitud del cañón: 72 cm
Calibre: 12,3 mm
Inventario: N° OR–1947; 7538 op

En el cañón de la escopeta se halla montada una caja de culata que contiene el mecanismo de recarga. Este dispositivo está unido a los cargadores de las balas y de la pólvora que se hallan situados en la culata. La recarga se efectúa por medio de la acción del guardamonte, que lleva consigo el paso de la bala y de la pólvora al cañón. Paralelamente se arma el gatillo; una porción de pólvora, que se encuentra en un cargador especial, se derrama en la cazoleta. El pie de gato móvil es automático. En la caja de culata está grabada la inscripción: "K. Kalthof fecit Moscova, 1665". La caja es de caoba, con guarnición de cobre. El problema de aumentar la cadencia de los disparos existe prácticamente desde que apareció el arma de fuego portátil. El siglo XVII se destaca por un gran avance en la fabricación de armas de distintos tipos y categorías. En este período aparecen las modernas construcciones de armas de varios cañones, de repetición y de retrocarga. Estos sistemas exigían mucho trabajo y eran, por lo tanto, de elevado coste. Debido a esto, se utilizaban en números reducidos sólo en las armas de caza. En la Rusia del siglo XVII, la Armería se convirtió en el centro donde se diseñaban varias clases de armas. Aquí trabajaban los armeros más expertos. Ellos tenían acceso a numerosas armas extranjeras, completamente desconocidas en Rusia. Además, la Armería invitaba a maestros extranjeros, que tenían invenciones propias. Uno de ellos era Kaspar Kalthof, que trabajó unos diez años en Moscú. Este creó esta rara escopeta de repetición. Este mecanismo obtuvo gran éxito en el campo de las invenciones militares, logrando superar el nivel alcanzado en la producción industrial de armas. Prácticamente nadie logró fabricar en serie las armas dotadas del mecanismo de K. Kalthof.

82–83   PAR DE PISTOLAS DE CHISPA

Moscú, Armería del Kremlin. Años 80 del siglo XVII
Hierro, acero, marfil, plata
Forjado, dorado, pavonado, damasquinado, grabado
Longitud total: 68 cm
Longitud del cañón: 48,5 cm
Calibre: 13 mm
Inventario: N°s OR–113/1–2; 114/1–2; 8312 op

Las pistolas tienen cañones de hierro, pavonados y damasquinados en oro con motivos vegetales. Igualmente damasquinada es la plantilla de

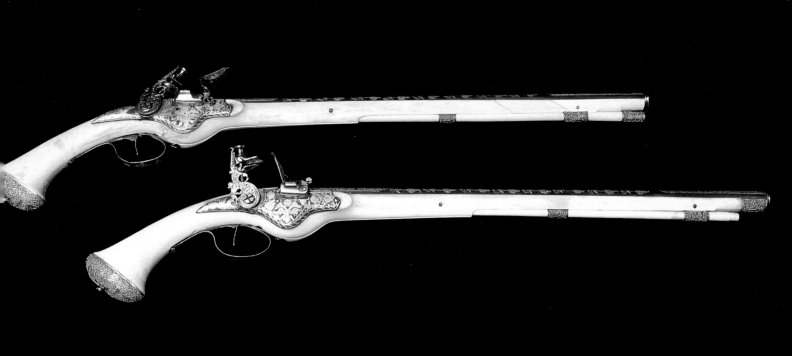

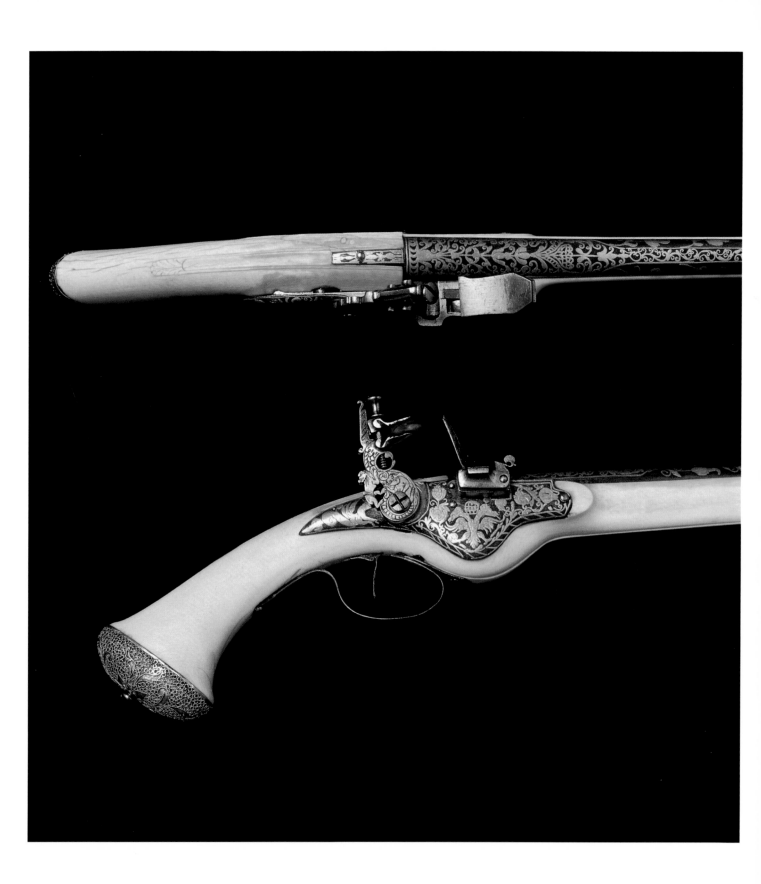

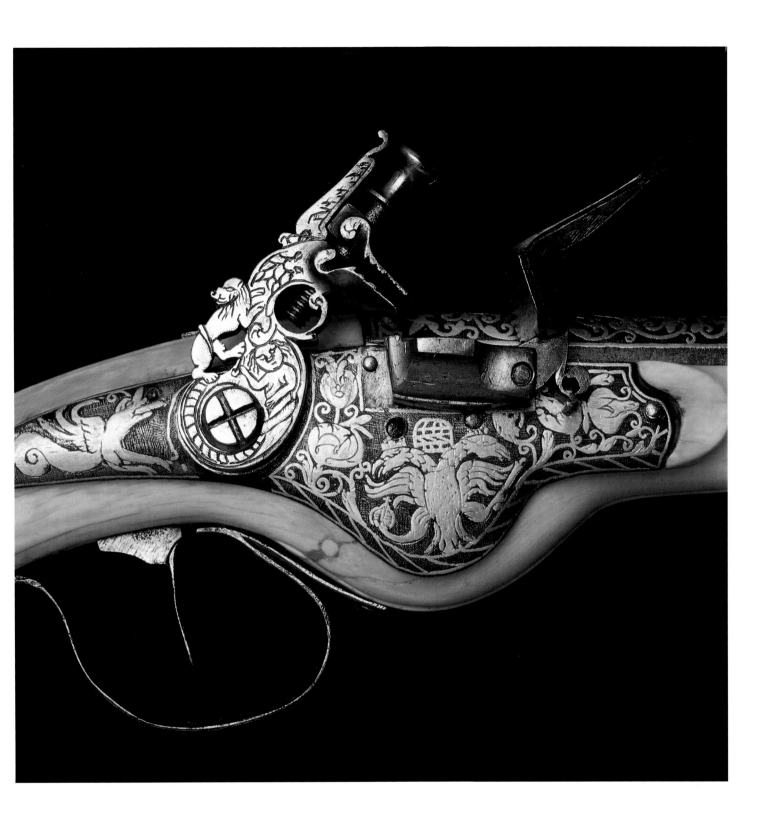

la llave, donde figuran el águila bicéfala, flores, volutas y un monstruo fabuloso. La caja es de marfil. La cantonera de la culata y parte de la guarnición es de plata dorada con ornamentos en filigrana.

Los maestros rusos montaron estas pistolas bajo una clara influencia del arte armero de Europa Occidental. Por ejemplo, a finales del siglo XVII Rusia mantenía estrechas relaciones con Holanda. La mayor parte de los especialistas sitúa precisamente en Holanda, en la ciudad de Maastricht, un taller de armas que fabricaba cajas de marfil para pistolas.

Estos artículos se difundían por diversos países. Los armeros del Kremlin también dominaban la fabricación de cajas semejantes. Actualmente, se desconoce el autor de la caja de estas pistolas, pero se sabe que el cañón, la llave y la guarnición se montaron en la Armería del Kremlin de Moscú.

84   ESCOPETA–HACHA

Rusia. Segunda mitad del siglo XVII
Hierro, madera
Forjado
Longitud del cañón: 75 cm
Calibre: 18 mm
Inventario: Nº OR–5013; 7512 op

Escopeta con cañón redondo de hierro y llave de chispa. Dos piezas cilíndricas cubren por ambos lados el mecanismo de la llave. El gatillo tiene forma de botón. La caja de la escopeta tiene la forma de un mango recto y redondo. El hacha, tipo "bardiche", se ajusta al cañón con dos tornillos. Esta escopeta–hacha pertenece al grupo de las armas combinadas. Estas piezas reunían las cualidades bélicas de varias armas. En este caso, la combinación del arma de fuego con el hacha aumenta las posibilidades ofensivas de la primera. El hacha, en forma de luna nueva, se ajusta al cañón de la escopeta que se fija en el asta. Este modelo fue el precursor de las armas con bayoneta que aparecen en Rusia en los años 90 del siglo XVII.

85   PISTOLA–HACHA

Rusia (?). Segunda mitad del siglo XVII
Hierro
Forjado
Longitud total: 63 cm
Longitud del cañón: 39 cm
Calibre: 12,5 mm
Inventario: Nº OR–2687; 8320 op

Pistola–hacha con cañón redondo de hierro y llave de chispa. Dos piezas cilíndricas cubren el mecanismo de la llave por ambos lados. El

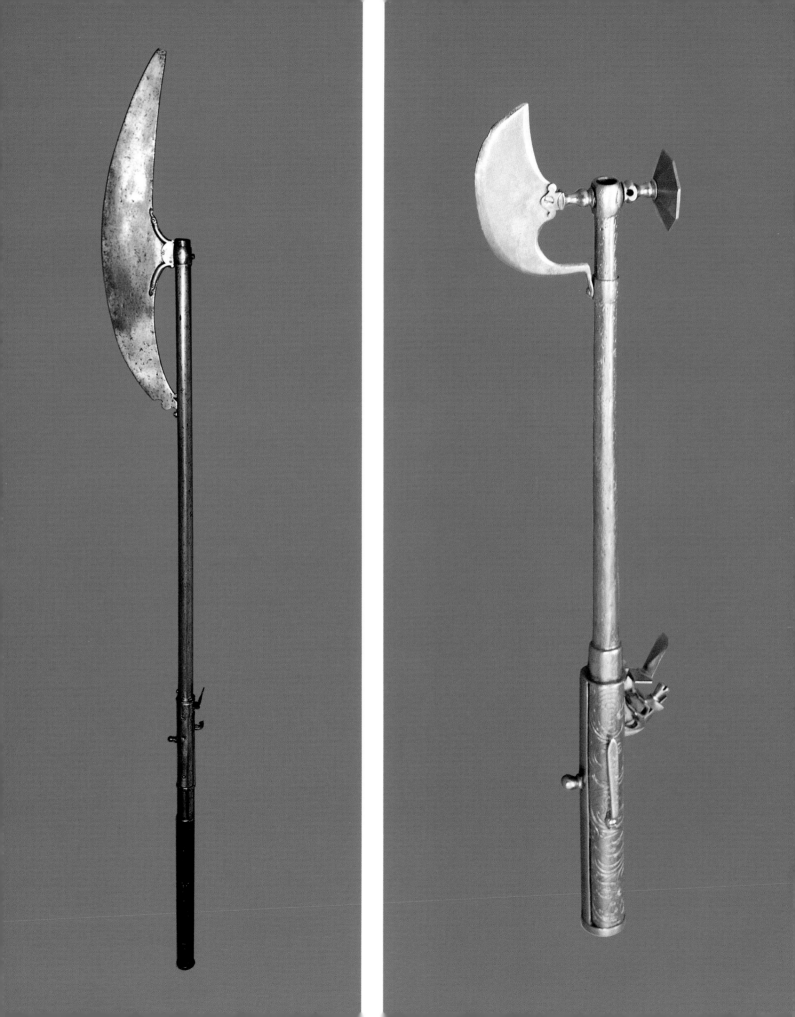

gatillo tiene forma de botón. El mango metálico es rectilíneo y redondo, con un gancho a la izquierda. Esta pistola–hacha, al igual que la
escopeta–bardiche precedente, es un arma combinada. Las pistolas de
este tipo se sujetaban a la cintura con ayuda del citado gancho que
figura en el lado izquierdo del mango.

86   FRASCO DE POLVORA

Moscú, Armería del Kremlin. Siglo XVII
Madera, plata, turquesas rubíes
Grabado, dorado
Longitud: 20 cm
Inventario: N° OR–4959; 8371 op

Recipiente de madera incrustado de turquesas en sus extremos. La tapa
y la boca son de plata dorada y están decoradas con grabados, dibujos
estampados, turquesas y rubíes.
El frasco forma parte de los accesorios del arma de fuego. Se utilizaba
para guardar y dosar la pólvora que se vertía por la boca del cañón de la
escopeta o pistola.

87 CEBADOR

Moscú, Armería del Kremlin. Siglo XVII
Madera, plata, turquesas, seda
Grabado, incrustado, dorado
Longitud: 17,5 cm
Inventario: Nº OR–3707; 8374 op

Recipiente de madera en forma de cuerno y armadura de plata dorada
con filigranas y turquesas incrustadas. El cebador se usaba para verter
la pólvora fina sobre la cazoleta de la llave. Bajo la acción del gatillo, el
pedernal del pie de gato chocaba con el rastrillo despidiendo chispas
que inflamaban la pólvora. El fuego se comunicaba al interior del
cañón por el fogón y encendía la carga.

Moscú, Armería del Kremlin. Principios del siglo XVII
Madera, cuero, plata, cobre, tela
Grabado, entallado, nielado, dorado
Longitud: 20 cm
Inventario: Nº OR–3733; 1851O op

Cartuchera de madera compartimentada para recibir diez cargas y tapa móvil adornada de piezas de plata nielada; la central, con un busto masculino, una corona y un trofeo de armas.

ARMAS ORIENTALES DE GALA

89 CASCO

El casco está representado en la ilustración n° 56.

Turquía. Finales del siglo XVI
Perteneció al boyardo ruso Nikita Ivanovich Romanov
Hierro
Forjado, grabado, remachado
Diámetro: 20,5 cm
Inventario: N° OR–2060; 4430 op

Casco en forma de gorro, decorado con acanaladuras y sellos grabados y adornados. A lo largo del borde se fijan estrechas launas movibles rectangulares, seguidas de las yugulares y la mantilla de malla ("barmitza").
El aspecto original del casco sufrió cambios considerables. Los documentos de archivo nos dan la fiel descripción de esta rara pieza. Toda la parte superior del casco, el nasal, el cerco inferior y la "barmitza" eran dorados en oposición a los adornos de plata de las yugulares y del cubrenuca. El reverso de estas piezas está forrado de terciopelo rojo. La ornamentación grabada de motivos vegetales, que ha podido conservarse, se destaca sobre el fondo dorado. El casco figura en la Armería desde la muerte del boyardo Nikita Ivanovich Romanov, tío del primer zar ruso, perteneciente a la dinastía de los Romanov. En el siglo XVII, el casco se guardaba cuidadosamente en el tesoro del zar. En 1737, hubo un gran incendio en el Kremlin de Moscú, y muchas obras antiguas sufrieron daños considerables, entre ellos este casco.
En el siglo XIX, el casco fue restaurado y, desde entonces, tiene el aspecto actual.

90 SCHISCHAK ("ERIJONSKAYA")

Turquía. Años 30 del siglo XVII
Traído de Estambul por el embajador Afanasiy Pronchishie
Acero damasquino, plata, seda
Forjado, grabado, cincelado, damasquinado
Diámetro: 22 cm
Inventario: N° OR–163; 4412 op

Schischak en forma de gorro ojival, de acero damasquino, con acanaladuras rectilíneas cinceladas y damasquinado de oro. La nuca, las orejas y la naríz están protegidas por piezas labradas y adornadas con motivos e inscripciones invocatorias árabes, damasquinadas de oro. El interior del schischak está forrado de seda roja.
Este schischak es un magnífico ejemplar del arte armero de Turquía.
En Rusia, esta bella forma ojival de casco recibió el nombre de "gorro

erijónskaya", que proviene del arcaico verbo ruso "erujónitzia", que significa engalanarse. Los schischaks solían decorarse lujosamente y se llevaban sólo en las fiestas más solemnes.

91 MAZA

Oriente. Siglo XVI (?)
Según la tradición, perteneció a María Mnishek, hija del vaivoda de Sandomir, esposa del zar "Falso" Demetrio I
Cuarzo hialino, hueso, madera, vidrio
Grabado
Longitud: 44 cm
Inventario: Nº OR−177; 5184 op

La cabeza de la maza, de cuarzo hialino, merece especial atención. En su superficie se ven imágenes de máscaras. La empuñadura es de hueso y está adornada con pequeñas pastillas de cristal.

92 ALJABA DE SAADAK

Turquía. Antes del año 1616
Regalo del kan de Crimea Dzhan−Bek−Guirey al zar Miguel Feodorovich
Terciopelo, cuero, plata
Bordado, colado, dorado, tejido
Longitud: 79,5 cm
Inventario: Nº OR−4479; 6334 op

Aljaba de terciopelo rojo, forrada de cuero y adornada con grandes flores y hojas estilizadas bordadas con hilos de plata y seda azul. Las hebillas son de plata dorada y tienen forma de luna creciente.
La aljaba es una de las obras singulares pertenecientes a este período. El 10 de junio de 1616, el embajador Ajmet−Agat ofreció este saadak (funda de arco y aljaba) al zar Miguel Feodorovich, como valioso obsequio de Dzhan−Bek−Guirey, kan de Crimea.

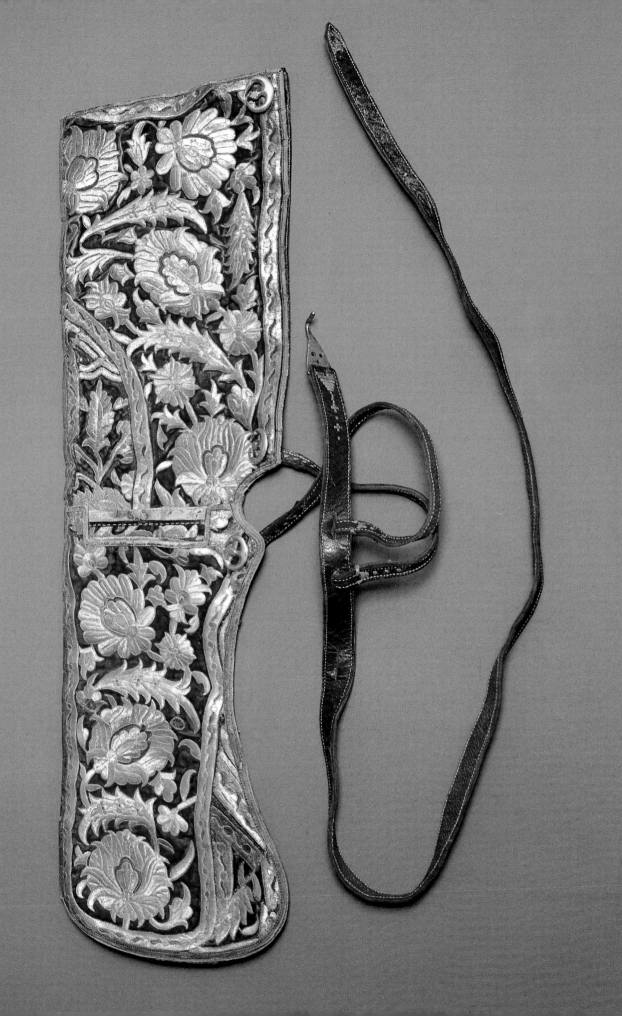

93 PALLASCH CON VAINA

Irán. Primera mitad del siglo XVII
Perteneció al boyardo vaivoda Semion Volinskiy
Acero damasquino, oro, terciopelo, esmeraldas, rubíes,
nefrita, zafiros
Forjado, nielado, incrustado, tejido
Longitud total: 91 cm
Longitud de la hoja: 78 cm
Inventario: Nº OR−4443/1−2; 5702 op

Pallasch, espada con hoja de acero damasquino de dos filos.
Luce el adorno incrustado de oro, que representa la silueta
de la flor de loto. El puño es de nefrita, incrustada de oro,
con una esmeralda grande en la cima de la empuñadura.
Cruz y gavilanes de oro, estos últimos en forma de cabeza de
monstruo. Piedras preciosas, nefrita y nielados adornan la
guarnición de oro de la vaina.
Este pallasch es uno de los más bellos ejemplares que se
pueden contemplar y encarna el más alto nivel artesanal
alcanzado por los armeros de Irán. Este modelo refleja los
rasgos típicos del arte de principios del siglo XVII, que trata
de mostrar con énfasis los detalles más intensos de la ornamentación. Este tipo de incrustación llamado "basma", combinado con las flores ornamentales de piedras preciosas,
produce un brillante efecto artístico.

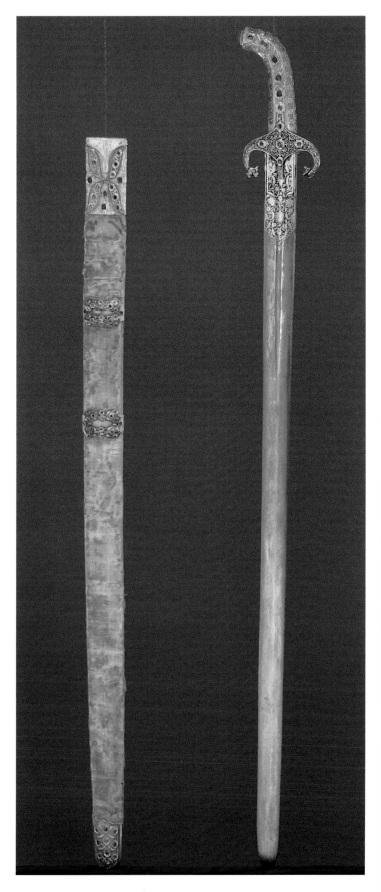

94 PUÑAL CON VAINA

Irán. Anterior a 1617
Obsequio del sha de Irán al zar Miguel Feodorovich
Acero, madera, oro, rubíes, turquesas, perlas
Forjado, grabado, incrustado
Longitud total: 30,8 cm
Longitud de la hoja: 16,8 cm
Inventario: Nº OR−208/1−2; 6169 op

Puñal con hoja de acero damasquino recta y tetragonal. Empuñadura y vaina cubiertas de oro, con motivos vegetales, adornadas con rubíes, perlas y turquesas.

Obsequio del sha de Irán Abbas al primer zar perteneciente a la dinastía de los Romanov; fue apreciado enseguida en el Kremlin por su belleza y riqueza. El puñal se colocó en el tesoro del zar, concretamente en lo que se llamaba "Bolshoy nariad" ("El Gran Atavío"), donde se guardaban varios objetos para las grandes ceremonias.

Turquía. Segunda mitad del siglo XVII
Acero damasquino, plata, oro, madera, tela, nefrita, rubíes, turquesas
Forjado, dorado, damasquinado, incrustado, grabado, cincelado
Longitud total: 99,1 cm
Longitud de la hoja: 84,3 cm
Inventario: Nº OR–4428/1–2; 5932 op

Sable con hoja damasquina adornada con la imagen de la espada sagrada "Dhū' l-Faqā" e inscripciones invocatorias árabes sobre fondo dorado. La empuñadura es de plata dorada, con nefritas, turquesas en grandes engastes e incrustaciones de oro y rubíes. La guarnición de la vaina es de plata dorada con piedras preciosas.

Las hojas de los sables turcos del siglo XVII se destacaban por sus perfectas cualidades para el combate. Eran relativamente estrechas y, tradicionalmente, tenían en la punta un ensanche de dos filos. El acero damasquino, de varios tipos, formaba el metal básico para las hojas preciosas. Para forjar la hoja del sable, representada en la exposición, se usó el acero damasquino de mejor calidad, que se distingue por su factura plateada.

La imagen de la espada con punta bífida "Dhū' l-Faqā" aparece sólo en las armas ceremoniales más importantes. Numerosas inscripciones en honor de Alá, damasquinadas de oro, ornan la hoja del sable. La decoración sigue las pautas tradicionales de las armas turcas de lujo de la segunda mitad del siglo XVII. La combinación del terciopelo rojo de la vaina y la plata dorada de la empuñadura y de la vaina crea un cierto juego de colores. En este tipo de decoración son típicos los adornos aplicados de lemanita, incrustados con finos hilos de oro y rubíes. Una turquesa azul, grande e intensa, profundamente engastada, culmina la decoración del sable.

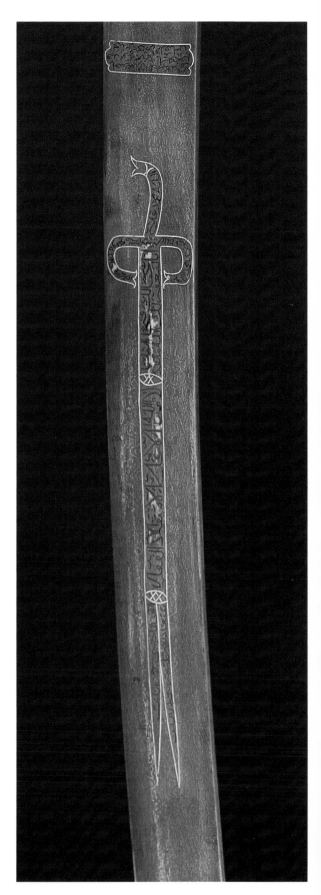

Turquía, Estambul. Segunda mitad del siglo XVII
Perteneció al zar Iván Alexeievich
Acero damasquino, oro, cuero, madera, diamantes
Forjado, damasquinado, esmaltado
Longitud total: 106 cm
Longitud de la hoja: 93 cm
Inventario: N° OR–4567/1–2; 5913 op

Sable con hoja de acero damasquino, con inscripción religiosa griega
damasquinada en oro. Sobre la superficie de la hoja figuran la Virgen
con el Niño, ángeles que sostienen la corona, el sol y San Jorge el
Victorioso atacando al monstruo con la lanza. Las guarniciones del
sable y de la vaina están cubiertas de intensos esmaltes y diamantes.
Durante el gobierno de los hermanos Iván y Pedro Alexeievich
(1682–1689), les fueron regalados lujosos sables. Uno de ellos, perteneciente al zar Iván Alexeievich, figura en 1720 en la Armería y ha
logrado conservarse. Del sable de Pedro Alexeievich (Pedro I) existe
sólo la hoja (ahora se encuentra en el Museo de Artillería, en Lenin-
grado). Las hojas de los dos sables son idénticas. Están labradas en oro
y decoradas con inscripciones griegas y motivos religiosos cristianos.
Varios museos guardan obras turcas semejantes, creadas en un centro
actualmente desconocido del enorme Imperio otomano con destino a
los países cristianos.

Las guarniciones del sable y de la vaina son de oro, engastadas de
diamantes y están fabricadas en Estambul. El estilo de la ornamentación, lujoso y extraordinariamente rico, es típico de los talleres de la
corte.

97   DOS CUCHILLOS CON VAINA

Turquía. Mediados del siglo XVII
Acero damasquino, madera, cuero, plata, nefrita, rubíes
Forjado, cincelado, dorado, grabado
Longitud total: 19,8 cm
Longitud de la hoja: 10,1 cm
Inventario: N° OR–3834/1–3; 6199 op

Cuchillos con hojas de acero damasquino, decoradas con motivos vegetales trabajados en oro. Las empuñaduras son de nefrita. Vaina con brocal y contera de plata dorada cincelada y rubíes. En el engarce está grabada la "tugra", o sello, del sultán Nujammat IV.

98   CUCHILLO CON VAINA Y FIADOR

Turquía, Estambul. Segunda mitad del siglo XVII
Acero damasquino, oro, plata, madera, cuero, diamantes, rubíes, ágatas
Forjado, engastado, esmaltado
Longitud total: 25 cm
Longitud de la hoja: 15,4 cm
Inventario: N° OR–3833/1–3; 6198 op

Navaja con hoja de acero damasquino y empuñadura de ágata. La vaina está adornada con diamantes, rubíes e intensos esmaltes. El brocal y la contera de la vaina, cubiertos de piedras preciosas, están labrados igual que los adornos del sable perteneciente al zar Iván Alexeievich. Los ornamentos de oro, de formas diversas, realizados en los talleres de la corte y adornados con diamantes y rubíes, se usaban para embellecer armas, arneses de caballo, vestidos, vajilla, etc.

99   DOS CUCHILLOS CON VAINA

Oriente. Siglo XVII
Plata, ágatas, madera, cristal
Forjado, dorado, esmaltado
Longitud: 19,8 cm
Inventario: Nº OR−3870/1−3; 6309 op

Sólo las empuñaduras de ágata y las armaduras de plata dorada han llegado hasta nuestros días. Vaina cubierta de cuero bordado, brocal y contera en plata dorada con esmaltes y cristales.

100   CUCHILLO CON VAINA Y FIADOR

Turquía. Finales del Siglo XVII − principios del siglo XVIII
Acero, plata, madera, terciopelo, jaspe
Longitud total: 37,9 cm
Longitud de la hoja: 19,4 cm
Inventario: Nº OR−3830/1−3; 6195 op

Cuchillo con hoja de acero y la marca "Ibrahim". Empuñadura de jaspe con armadura de cobre dorado y pasadores de plata. Vaina de madera, cubierta de terciopelo rojo.

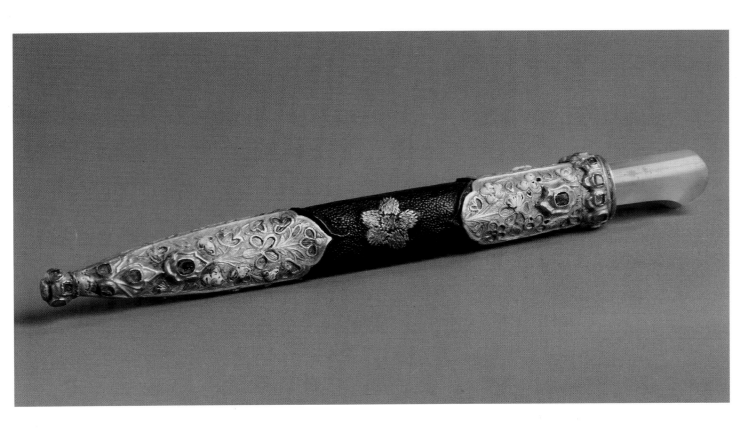

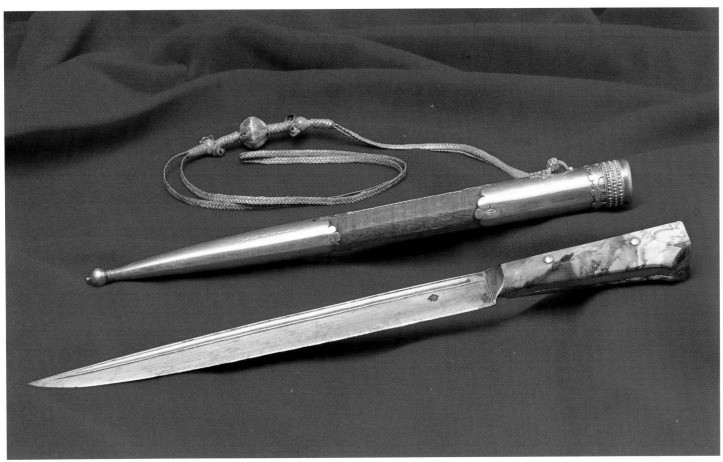

Asia Central. Finales del siglo XVII − principios del siglo XVIII
Acero damasquino, madera, hueso, oro, tela, rubíes, esmeraldas
Forjado, grabado, incrustado, cincelado
Longitud total: 30,5 cm
Longitud de la hoja: 17 cm
Inventario: Nº OR−3837/1−3; 6204 op

Cuchillo con hoja recta de acero damasquino. Larga empuñadura de
hueso con pomo en forma de cabeza de carnero, incrustada de piedras
preciosas. Vaina con guarnición de oro, adornada con rubíes y esmeraldas.

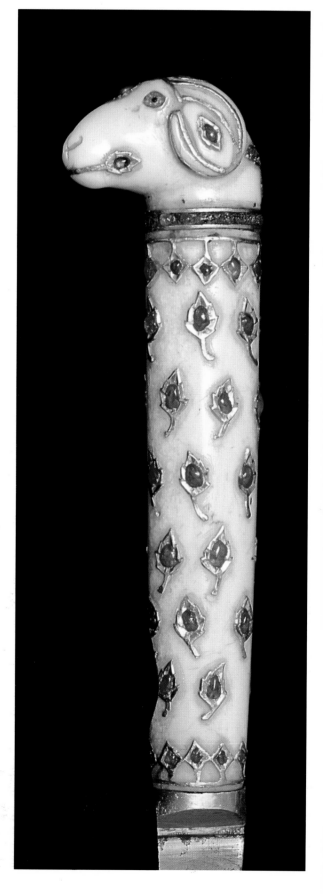

102   MAZA DE ARMAS

Turquía. Segunda mitad del siglo XVII
Acero damasquino, madera, turquesas, rubíes
Forjado, cincelado
Longitud: 60,1 cm
Inventario: Nº OR–3808; 5238 op

Maza con cabeza, de acero damasquino, de seis navajas adornadas con piedras preciosas profundamente engastadas. Mango de madera con regatón incrustado de oro.

103   MARTILLO DE ARMAS

Turquía. Segunda mitad del siglo XVII
Hierro, plata, madera, cuero
Forjado, cincelado, grabado, nielado
Longitud: 80,5 cm
Inventario: Nº OR–3813; 5249 op

Hierro cincelado, decorado con motivos vegetales de gran tamaño incrustados de plata y pequeños clavos del mismo metal. Mango de madera, cubierto de cuero rojo.

104   MAZA

Turquía. Siglo XVII
Plata, madera, turquesas, nefrita
Labrado, dorado, engastado
Longitud: 64 cm
Inventario: Nº OR–3803; 5218 op

Maza de plata dorada, decorada con pequeños motivos vegetales. Redondos adornos aplicados de nefrita y grandes turquesas cubren la cabeza de la maza.

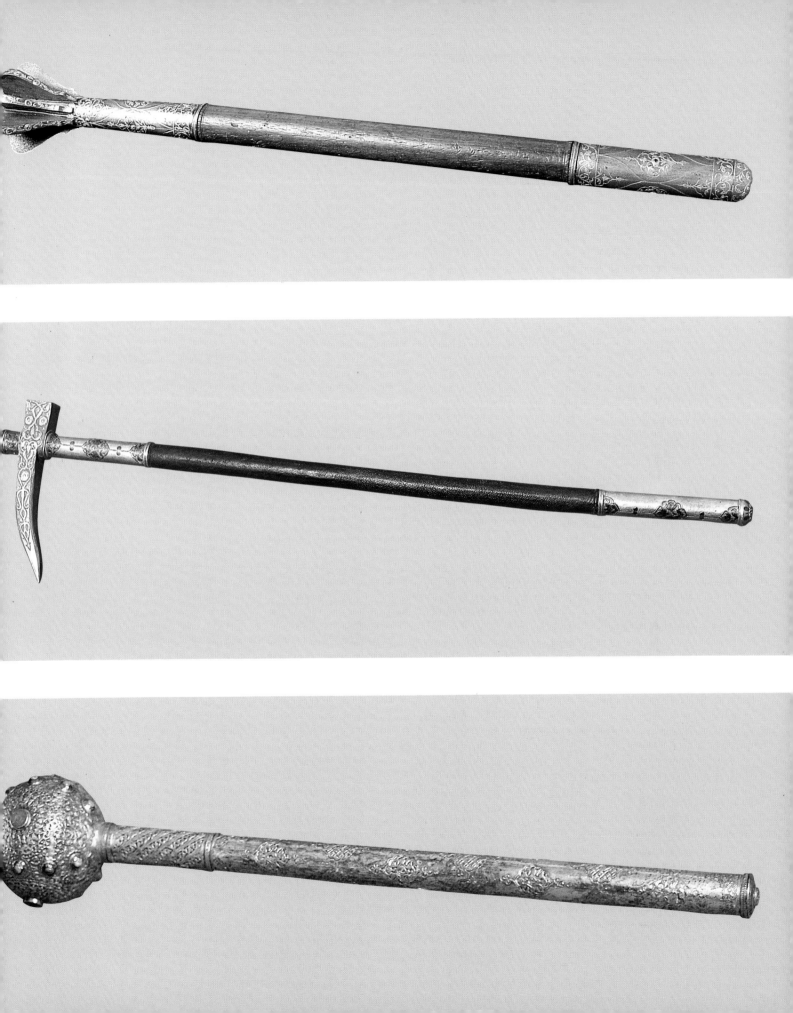

Turquía. Finales del siglo XVII – principios del siglo XVIII
Acero damasquino, plata, hueso, madera, cobre
Forjado, entallado, incrustado, grabado, dorado
Longitud total: 135,5 cm
Longitud del cañón: 103,5 cm
Estrías: 8
Inventario: Nº OR–3653; 6640 op

Escopeta con cañón estriado de acero damasquino incrustado de oro. La llave está decorada con motivos grabados. Caja de escopeta con culata pentagonal, incrustada de hueso, plata y cobre.
Algunas colecciones de los museos soviéticos conservan escopetas turcas lujosamente adornadas . La colección de armas turcas de la Armería de Moscú es significativa; comprende más de 1500 ejemplares, 300 de los cuales representan distintos modelos de escopetas de los siglos XVI–XVII.

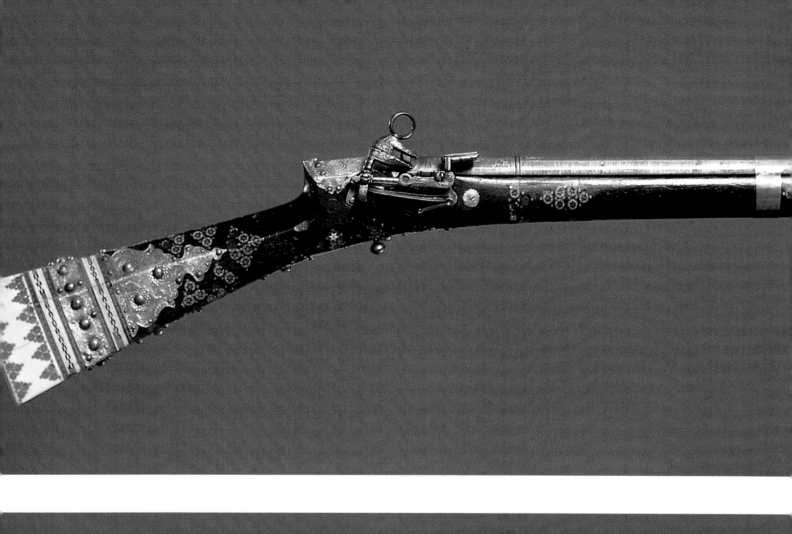

China. Siglo XVII
Perteneció al zar Pedro I
Acero, hierro, madera, cuero
Forjado, fundido, grabado, dorado
Longitud total: 89,7 cm
Longitud de la hoja: 74,5 cm
Inventario: N° OR−4164/1−2; 6024 op

Sable con hoja poco curva y estrechos canales. Guarnición de hierro fundido, grabado y dorado con figuras de animales fabulosos entrelazados. La vaina está decorada de manera idéntica.

La primera embajada china de N.G. Spafaria en el Estado ruso (1678) permitió conocer las bellas obras de los armeros chinos. Las armas chinas, montadas y decoradas peculiarmente, están perfectamente adaptadas para el combate. Por esta razón, este sable, de factura típicamente china, entró en la colección privada de Pedro I, gran conocedor de las armas de muchos países.

ARMAS DE EUROPA OCCIDENTAL

107   ARMADURA DE NIÑO

Europa Occidental. Siglo XVII
Hierro, latón, cuero, terciopelo
Forjado, grabado, cincelado, remachado
Longitud del casco: 31 cm
Altura del peto: 41 cm
Altura del espaldar: 23 cm
Inventario: N° OR−311/15; 4757 op

Armadura, compuesta de casco con cresta y largas alas inclinadas, peto, dos escarcelas para proteger las piernas y espaldar. Las piezas de la armadura se montan con la ayuda de correas, ganchos de latón y bisagras de hierro. Los remaches son de latón y de hierro, y el forro del casco es de terciopelo verde.

Alemania, Solingen. Segunda mitad del siglo XVII
Perteneció al príncipe Pedro Alexeievich (Pedro I)
Hierro, cobre, ónice
Forjado, grabado, dorado
Longitud total: 77,5 cm
Longitud de la hoja: 64,5 cm
Inventario: Nº OR–3998; 5795 op

Espada con hoja dorada de doble filo, adornada de figuras grabadas de caballos a galope. Guarnición de ónice realzada de anillos ornamentales en cobre dorado. Esta espada fue uno de los primeros regalos hechos al pequeño zar Pedro Alexeievich. Es probable que su célebre pasión por las armas naciese a partir de esta bella hoja de Solingen con su delicada guarnición de ónice.

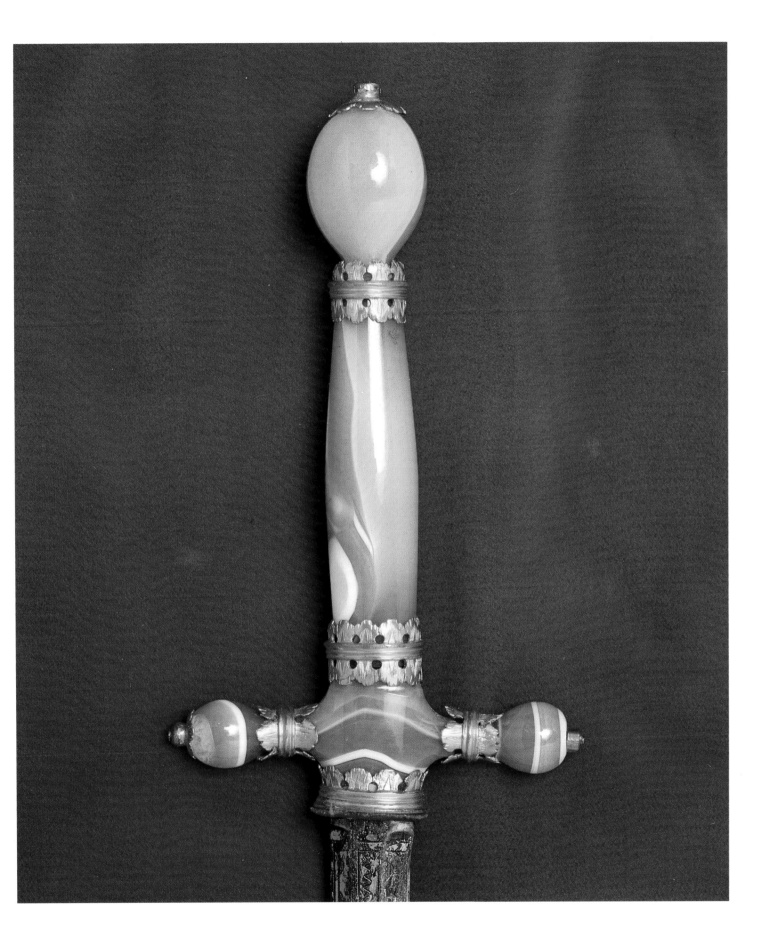

109 CORCESCA DE NIÑO

Europa Occidental (?). Siglo XVII
Hierro, madera, tela
Forjado
Longitud total: 157 cm
Longitud del hierro: 20 cm
Inventario: Nº OR–933; 5556 op

Corcesca de hierro forjado y asta adornada con grabados y borla de hilos de seda. Varias armas infantiles de juguete, fabricadas en Europa Occidental, son obras singulares que se conservan en los museos. La Armería recibió la mayor parte de estas armas en calidad de obsequios. Se usaban para divertir a los hijos del zar.

Italia. Finales del siglo XVII
Acero
Forjado, grabado, pavonado
Longitud total: 100,6 cm
Longitud de la hoja: 83 cm
Inventario: N° OR−4042; 5782 op

Espada con hoja de dos filos, pavonada. Guarnición cincelada con imágenes de jinetes, niños tocando el cuerno, animales, figurillas femeninas y cepas. La espada figuraba en la colección privada de Pedro I. En general, éste solía coleccionar armas de combate, pero algunas de ellas son auténticas obras de arte. Esta espada con guarnición de hierro cincelado representa un bello ejemplar de la armería italiana.

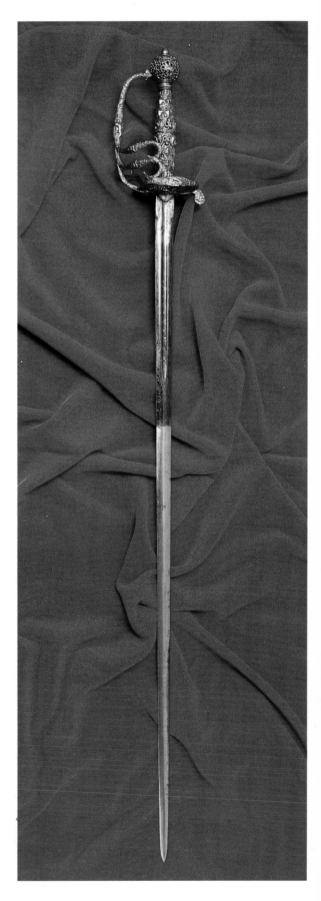

111 MAZA

Checoslovaquia. Principios del siglo XVII
Plata, hierro, cristal de roca, rubíes
Grabado, dorado, esmaltado, incrustado
Longitud: 58 cm
Inventario: Nº OR-253; 5183 op

Maza con cabeza redonda de cristal de roca. Mango recubierto de plata dorada, adornado con motivos vegetales cubiertos de intensos esmaltes.

La maza surgió como arma de combate, pero posteriormente se convirtió en el símbolo del poder.

Esta maza de cristal de roca es uno de los mejores ejemplares de armas de lujo de Europa Occidental que se conservan en la Armería.

112 ESPADA

España (la hoja). Finales del siglo XVII – principios del siglo XVIII
Perteneció al zar Pedro I
Acero, cobre, plata
Forjado, grabado, dorado, cincelado
Longitud total: 109 cm
Longitud de la hoja: 91,1 cm
Inventario: Nº OR-4044; 5785 op

Espada, tipo "pallasch", con hoja hexagonal de doble filo y canal estrecho y profundo, donde se halla la inscripción "I toled fesit". La empuñadura está cubierta de hilos de cobre entrelazados. La guarnición posee adornos grabados. Esta espada figuraba en la colección de Pedro I. Su interés por coleccionar armas no era el de un aficionado, sino, más bien, el de un hombre de Estado confrontado con la tarea de crear un ejército regular ruso y dotarlo de las mejores armas de la época.

Pedro I logró reunir una colección representativa de las mejores armas provenientes de los mayores centros armeros de catorce países orientales y occidentales. Esta espada permite conocer la producción del centro armero español de Toledo, donde se fabricaban magníficas armas blancas.

A principios del siglo XVIII, en la ciudad de Olonetz, cerca de San Petersburgo, se organizó la producción de espadas tipológicamente nuevas para Rusia. Algunos rasgos de éstas imitaban las armas blancas españolas.

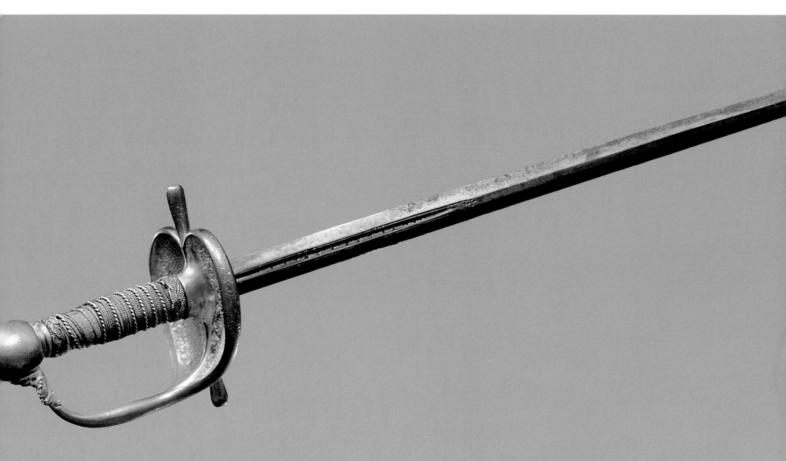

113   ESCOPETA DE CHISPA

Inglaterra. Principios del siglo XVII
Hierro, madera, madreperla, plata
Forjado, grabado, tallado, incrustado, filigrana
Longitud total: 122 cm
Longitud del cañón: 87,7 cm
Calibre: 11,5 mm
Inventario: N° OR−4292; 7477 op

Escopeta de cañón redondo de hierro y llave de chispa. Todas las piezas de metal están adornadas con grabados dorados. La caja de la escopeta presenta hilos de plata incrustados y placas de madreperla grabadas, algunas de ellas con figuras de animales.

En el siglo XVI, Rusia entabló relaciones diplomáticas y comerciales con Inglaterra. La Armería conservó los obsequios de la embajada inglesa al zar, a saber: la vajilla, las armas y la carroza. Las pistolas y escopetas inglesas del siglo XVII son piezas raras en las colecciones de los museos de la Unión Soviética. La escopeta inglesa que figura en la exposición fue, probablemente, regalada al zar a principios del siglo XVII. Es de especial interés la imagen del escudo de armas del Estado ruso – el águila bicéfala – grabada en el cañón. Esto prueba que la escopeta fue fabricada especialmente para el zar.

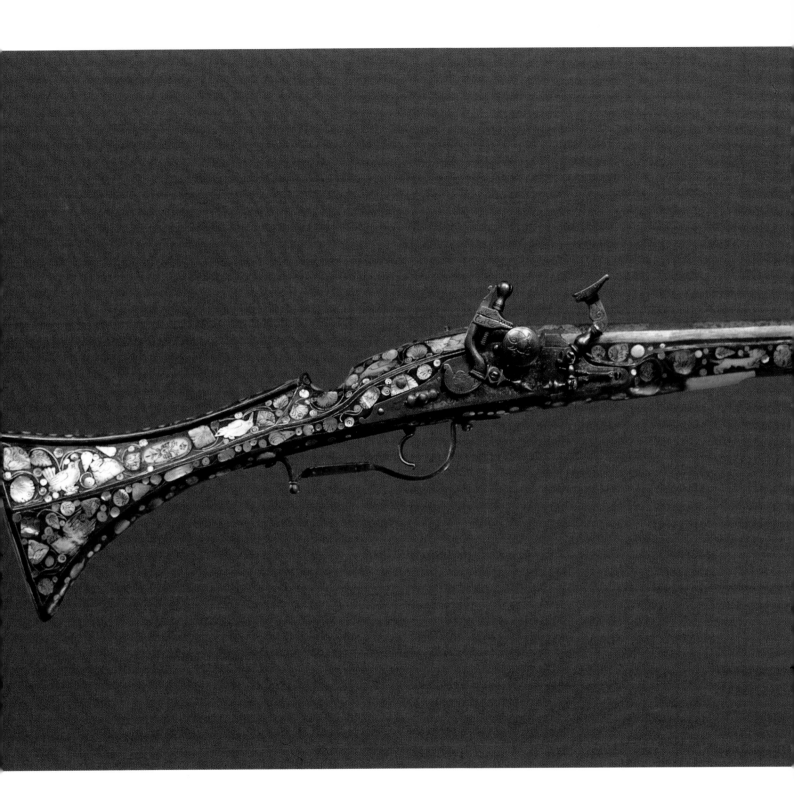

114 MOSQUETE DE MECHA PARA NIÑO

Europa Occidental, Holanda (?). Finales del siglo XVII
Plata, hierro, acero, madera, tortuga
Forjado, dorado
Longitud total: 62 cm
Longitud del cañón: 40,6 cm
Calibre: 11,2 mm
Inventario: Nº OR–3442; 6434 op

Mosquete con cañón de hierro y llave de mecha. La llave y el cañón
conservan restos de la doradura. La caja de la escopeta con caña larga
está cubierta de concha de tortuga.

115–116 PISTOLAS DE CHISPA

Francia, París. Finales del siglo XVII – principios del siglo XVIII
Obra realizada por Chasteau
Pertenecieron al zar Pedro I
Hierro, acero, madera, bronce

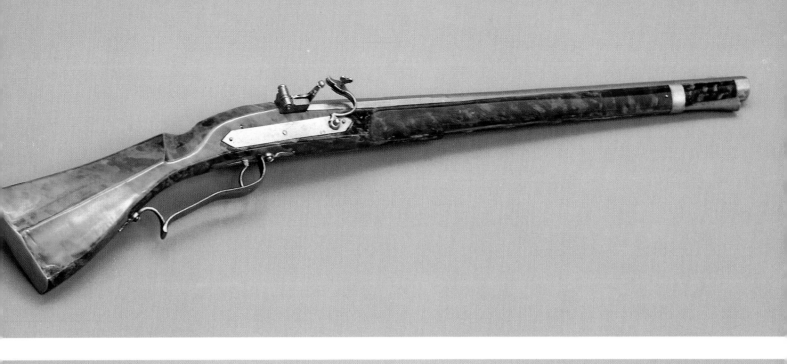

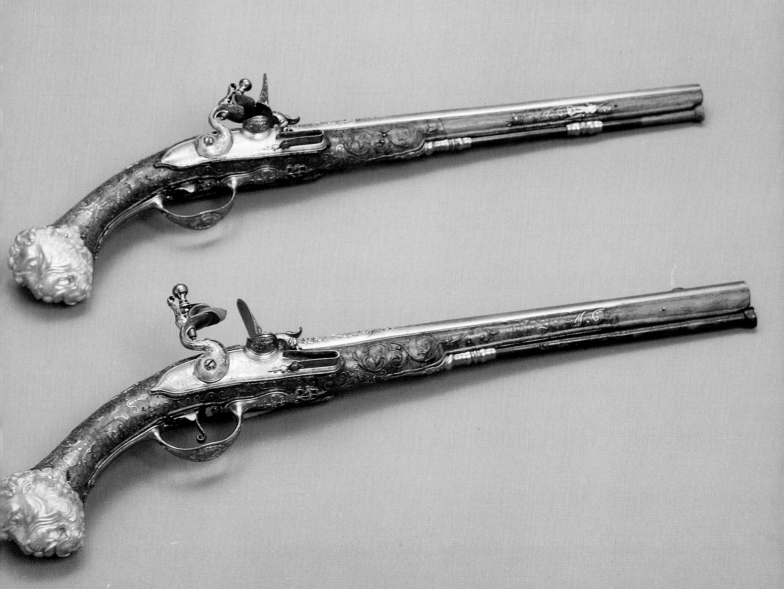

Forjado, fundido, grabado, entallado, incrustado, dorado
Longitud total: 52 cm
Longitud de los cañones: 34,8 cm
Calibre: 19 mm
Inventario: Nᵒˢ OR–2328/1–2; 2329/1–2; 8050 op

Pistolas con cañones redondos de hierro, grabados y entallados de oro con figuras a la antigua. Llaves con figuras grabadas; los cañones y las llaves están firmados: "Chasteau a París"
Cajas de nogal adornadas con hilos y adornos labrados de plata incrustados. Los pomos de bronce fundido y dorado tienen forma de cabeza de perro.

117   ROPON

Europa Central (?). Primera mitad del siglo XVII
Raso y tafetán: Oriente (?). Siglo XVI
Raso, tafetán, hilos dorados
Tejido, bordado
Anchura: 97,5 cm
Longitud total: 242 cm
Longitud de la manga: 27 cm
Inventario: TK–2844; 141–op

Este ropón, que sirve para proteger la armadura, es una ropa talar de corte raro con escote profundo y abierta a los lados; las mangas son cortas, anchas y no están cosidas. El ropón es de raso rojo bordado en oro. Los dibujos complicados parecen tejidos y no bordados, y son testimonio de un auténtico gusto artístico y un gran saber profesional.
Este tipo de vestimenta forma parte de los atavíos de gala que se llevaban para proteger la armadura del mal tiempo. El ropón para cubrir la armadura, que figura en la exposición, es el único ejemplar conservado hasta nuestros días. En la antigua Rusia se prestaba mucha atención al modo de vestirse. El vestido se guardaba cuidadosamente, se heredaba, modificándolo un poco. Este ropón perteneció originalmente al zar Miguel Feodorovich. Los documentos informan que durante la marcha de Smolensk, en 1654, el zar Alexey Mijailovich Romanov llevó este ropón.